ESTANQUES
Y JARDINES ACUÁTICOS

Una guía esencial para construir estanques, jardines acuáticos, fuentes y cascadas en el jardín

Martha Álvarez

Edición
Cecilia Repetti

Asistente de edición
Guadalupe Rodríguez

Dirección de arte
María Laura Martínez

Diseño y diagramación
Andrés N. Rodríguez
Gerardo Garcia

Ilustraciones
Andrés N. Rodríguez
Sergio Multedo

Fotografías
Verónica Urien

Estanques y Jardines Acuáticos
1ra edición - 1ra reimpresión - 2000 ejemplares
Impreso en GRAFICA PINTER S.A.
México 1352
Buenos Aires, Argentina
Febrero 2010

ISBN: 978-950-24-1151-4

Torres Las Plazas J. Salguero 2745
5to piso oficina 51 (1425)
C. A. de Buenos Aires, República Argentina
IMPRESO EN LA ARGENTINA
PRINTED IN ARGENTINA
www.albatros.com.ar
e-mail: info@albatros.com.ar

Agradecimientos

Ingeniero agrónomo paisajista Yasuo Innomata (Escobar, Pcia. de Buenos Aires).

Ingeniero agrónomo Pablo Macor (Vivero de Acuáticas Panambí, San Andrés de Giles, Pcia. de Buenos Aires).

Ingeniera agrónoma Soledad Delthiou (Vivero de Acuáticas Panambí, San Andrés de Giles, Pcia. de Buenos Aires).

Sr. Telmo Hisaki (Vivero Hisaki, Escobar, Pcia. de Buenos Aires).

Fernando Tempone (Water Life, Del Viso, Pcia. de Buenos Aires).

Ingeniero agrónomo Eduardo Stafforini (Asociación Argentina de Paisajistas).

Gobierno de la Ciudad Autónoma de Buenos Aires.

Álvarez, Martha
Estanques y jardines acuáticos. - 1a ed. 1a reimp. - Buenos Aires : Albatros, 2010.
90 p. : il. ; 16x24 cm. - (Jardinería práctica)

ISBN 978-950-24-1151-4

1. Jardinería. I. Título
CDD 635.9

A mis hermanas Zulema y Alcira.

Unas palabras

En todas las épocas, y en todos los estilos de jardinería, el agua tuvo y sigue teniendo un papel trascendental, pues es el centro en el que transcurre la vida, tanto vegetal como animal, es decir, donde la microflora y la microfauna encuentran su medio de desarrollo.

El sólo hecho de observar un estanque con plantas acuáticas y peces en un día de sol permite apreciar el flujo de organismos a su alrededor: alguaciles, caracoles de distintos tamaños y características, arañas de agua, mariposas, diversos pájaros, insectos sobre las flores de nenúfares y lotos, ranas, sapos, renacuajos...

Un jardín de plantas acuáticas representa algo vibrante y muy atractivo, que resume en sí mismo todos los aspectos de la vida, y que puede convertirse en el centro de un espacio verde o en un lugar de reposo.

El agua le transfiere movimiento al jardín, porque es un fluido, un elemento móvil y dinámico, que cambia de color durante el día y según las estaciones. También responde a la acción del viento, y en los días calmos se transforma en un espejo, que refleja el cielo y las plantas.

Un jardín de acuáticas tiene como particularidad quitar esa sensación de paisaje estático que tienen las obras arquitectónicas y las composiciones de la jardinería geométrica.

Finalmente, un estanque bien realizado compensará con creces el trabajo inicial y creará por sí mismo un lugar único, inconfundible e irremplazable.

Martha Álvarez

CAPÍTULO 1

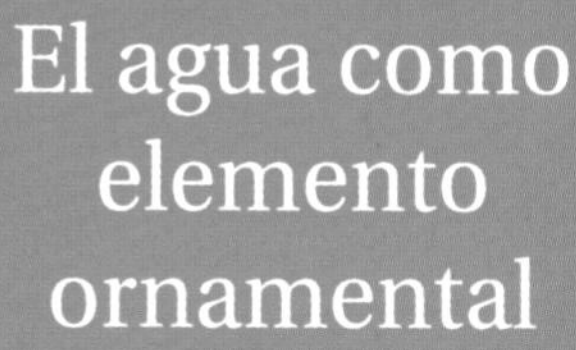

El agua como elemento ornamental

Capítulo 1 El agua como elemento ornamental

El agua incorpora al jardín importantes efectos de valor ornamental, como su color cambiante por efecto del sol, el sonido cuando fluye o se desliza por un plano descendente o por una cascada, y el valor estético que brinda una gama extraordinaria de plantas.

Si se revisa la historia, desde la formación de los pueblos, el agua siempre tuvo dos funciones primordiales que aún hoy siguen vigentes: es la bebida básica del ser humano y de otros animales, y es el factor más importante para la humedad del medio ambiente y el crecimiento de las plantas.

Desde el punto de vista social, constituyó una vía de comunicación entre los pueblos mediante el traslado en balsas, botes y otras embarcaciones precarias.

Asimismo, proveyó fuentes de alimentación, a través de la pesca en ríos, lagos y lagunas.

Tiempo después, el agua comenzó a transitar por canales construidos por el hombre en obras de ingeniería, dando vida a las ciudades y facilitando los distintos trabajos, en especial las tareas agrícolas en zonas áridas.

Primero en Egipto y Persia, y en todas las regiones desérticas del mundo después, la agricultura estuvo relacionada con la instalación de acequias que servían también para refrescar el ambiente de esas áreas de temperaturas tan elevadas.

Una vez aprovechado el aspecto funcional y utilitario del agua, sobrevino el aspecto ornamental. Cuando los núcleos poblacionales se consolidaron en los distintos territorios y fueron acumulando riquezas, surgieron las grandes obras arquitectónicas, acompañadas de fuentes y cascadas, y aparecieron los estilos clásicos y formales de la jardinería geométrica.

En la jardinería clásica, el agua tuvo un papel estético preponderante, pues acompañó obras de arte, fuentes escultóricas, monumentos, jardines geométricos con parterres acuáticos, etc.

La Italia renacentista se caracterizó por la gran profusión de obras escultóricas y fuentes con caídas y picos de agua, que representaron la época de oro de la jardinería que utilizaba al agua como elemento ornamental.

En diversos parques de Alemania, Holanda y España, entre otros países, se repitieron los mismos motivos italianos, pero con menor grandilocuencia y ampulosidad.

Cascada de agua formando un manto uniforme.

En el estilo paisajista de fines del siglo XIX y comienzos del siglo XX, el agua formó parte del paisaje, acompañó diseños más naturales, con senderos sinuosos, en donde la vegetación rodeaba lagunas con fauna acuática, como peces, patos y cisnes.

Fuente de agua de estilo romántico.

El paisajismo es el estilo apropiado para grandes extensiones y tuvo su desarrollo máximo en Inglaterra, con influencias orientales de la China y el Japón. Esto ocurrió porque Oriente es la cuna de las composiciones paisajistas, diseñadas bajo el concepto de lo natural.

La escasez de espacio hizo que los japoneses pusieran el foco en un jardín reducido a elementos simbólicos que expresaran la esencia de la naturaleza. El reflejo del espíritu japonés, aunque más tarde sufrió variantes de estilo, se halla en las piedras, el agua, las plantas y las montañas. Las representaciones del agua en estos jardines orientales se caracterizan por lagos de aguas tranquilas, alteradas únicamente por el sutil movimiento de los peces, o por cascadas cayendo de lo alto de una montaña sobre un lecho de piedras y cantos rodados, o simplemente en el fluir de un chorro de agua que se escurre desde una caña de bambú y cae entre las piedras. Todas estas formas son claros símbolos de vida.

Aguas quietas reflejando el cielo y las plantas.

Chozubachi, chorro de agua que se desliza por una caña de bambú y cae sobre un cuenco de piedra.

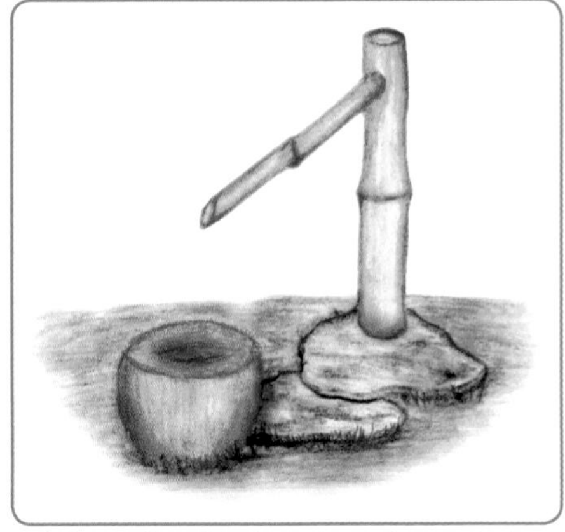

Tsukubai, vasija recibiendo un chorro de agua desde una caña cortada a bisel.

Distintos tipos de cañas de bambú para la caída del agua. En su interior, corre una tubería de cobre para la conducción del fluido.

Cambios de color, reflejos y movimiento en el agua.

La fuerza del agua.

Farola y camino de piedras. Jardín japonés (Escobar, Buenos Aires).

Uso del agua en los espacios verdes

Además del aspecto ornamental, el agua tiene un aspecto funcional y recreativo. Desde el punto de vista funcional, puede servir para demarcar límites y zonas, crear espacios exteriores, rodear edificios, canalizar las visuales hacia lo lejos desde las grandes construcciones, complementar esculturas y monumentos, provocar contrastes con el pavimento y constituir barreras.

En el aspecto recreativo, el agua de un estanque de tamaño adecuado da lugar para crear distintos juegos acuáticos, como la conducción a control remoto de pequeños veleros; y en espacios de gran tamaño, se pueden realizar paseos con bicicletas de agua, como en los lagos del Parque 3 de Febrero, en Palermo.

En cuanto al diseño de los espacios verdes públicos, el agua formó parte tanto de los jardines de estilo geométrico de muchas plazas de la ciudad de Buenos Aires como de los diseños paisajistas de numerosos parques y espacios abiertos. Respecto de los diseños geométricos, se puede observar la presencia del agua como elemento acompañante de esculturas o grupos escultóricos. Esto sucede, por ejemplo, en la fuente de Lola Mora en Costanera Sur, en el Monumento a los Españoles, ubicado en las avenidas Sarmiento y del Libertador, o en muchas fuentes modernas, como la que se construyó en la plaza Campaña del Desierto, en el barrio porteño de Palermo.

El agua, en conjunto con la vegetación, puede constituirse en una expresión local que brinda características únicas a ciertos lugares.

En la Argentina

Los diseños paisajistas comenzaron a aparecer alrededor del año 1900. De este período se destaca el Parque 3 de Febrero, ubicado en Palermo, en la ciudad de Buenos Aires. Esta obra fue terminada en 1914 e intervinieron en ella el ingeniero agrónomo Benito Carrasco y el arquitecto paisajista francés Carlos Thays. El parque contó con el tratamiento de los terrenos bajos e inundables, invadidos por pajonales y totoras, que en parte fueron rellenados. Otra zona de los terrenos constituyó finalmente el extenso lago, que hoy en día es el corazón del parque y se utiliza como espacio de recreación.

Diseño paisajista. Cancha de golf, lago, campo de césped y árboles. Water Life.

En el año 1969, Yasuo Innomata —ingeniero agrónomo paisajista, egresado de la Facultad de Agronomía de Tokio, Japón— llegó a Buenos Aires contratado para realizar las obras del Jardín japonés de Palermo. Este trabajo tuvo el apoyo de la Embajada del Japón y fue diseñado según las normas de este estilo de jardín. Luego, a Innomata le fueron asignadas las obras del Jardín japonés de Escobar, con el auspicio también de la Embajada del Japón.

Jardín japonés, Escobar, Pcia. de Buenos Aires.

Comercio de plantas acuáticas

Las especies acuáticas son muy poco explotadas en la Argentina, pero en los Estados Unidos, las Nymphaeas, en especial, tuvieron gran popularidad y se multiplicaron los viveros especializados, los productores y los coleccionistas de estas plantas.

Cabe destacar, asimismo, la preferencia del público estadounidense por plantas sudamericanas, como los camalotes que llegan a las costas del Río de la Plata, luego de una sudestada, acumulándose en grandes cantidades por sus pecíolos flotantes. Sin embargo, en la Argentina estas plantas son consideradas simplemente como acuáticas silvestres.

Desde hace unos años, el mejoramiento genético se comenzó a destinar también a las plantas acuáticas de cultivo como los nenúfares y se han realizado trabajos de selección y cruzamientos, obteniéndose híbridos de nenúfares diurnos y nocturnos espectaculares por su color, su forma y tamaño de las flores.

Los países con mayor desarrollo en la selección genética de los nenúfares y la hibridación son los Estados Unidos y Francia, además de algunos otros países europeos. Esto provocó que los profesionales paisajistas empleen cada vez más las plantas acuáticas de cultivo —para trabajos de influencia oriental, por ejemplo— dejando de lado muchas veces las especies acuáticas silvestres, que abundan en lagunas y arroyos de la Mesopotamia, Buenos Aires y demás provincias de la Argentina.

Plantas acuáticas e invernáculo de protección para las Nymphaeas *sensibles o tropicales. Vivero Panambí.*

Estanque naturalista, con cobertura de nailon negro grueso, y sellado de los bordes con tierra y ladrillos. Vivero Panambí.

Nenúfares en estanque pequeño. Vivero Hisaki.

Estanque natural en un bajo del terreno. Vivero Panambí.

CAPÍTULO 2

Características de las plantas acuáticas

Capítulo 2 Características de las plantas acuáticas

Existen diferentes modalidades según el hábitat acuático: las flotantes viven directamente en el agua y presentan tejidos esponjosos que se llenan de aire y les permiten flotar; las sumergidas dejan salir sólo sus hojas terminales y algunas flores, y realizan la fotosíntesis debajo del agua, por eso son tan importantes en los acuarios; y las palustres se adaptan a suelos inundados.

Definición

Las plantas acuáticas "son aquellas que requieren vivir en un ambiente con agua, tanto dulce como marina, ya sean sumergidas en su totalidad (raíces, hojas, tallos y flores) o parcialmente (sólo raíces y tallos)". (Font Quer, Pío: Diccionario de botánica. Barcelona: Labor SA, 1975).

La mayoría de las algas son plantas acuáticas, al igual que algunos musgos y hongos. Se caracterizan por poseer un tipo de tejido esponjoso que se llena de aire, conocido como "cámaras aeríferas" que les permiten flotar.

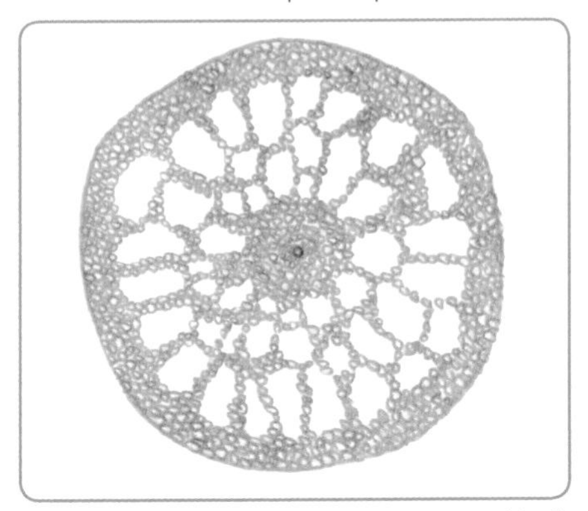

Cámaras aeríferas de una planta acuática. Corte del tallo de elodea.

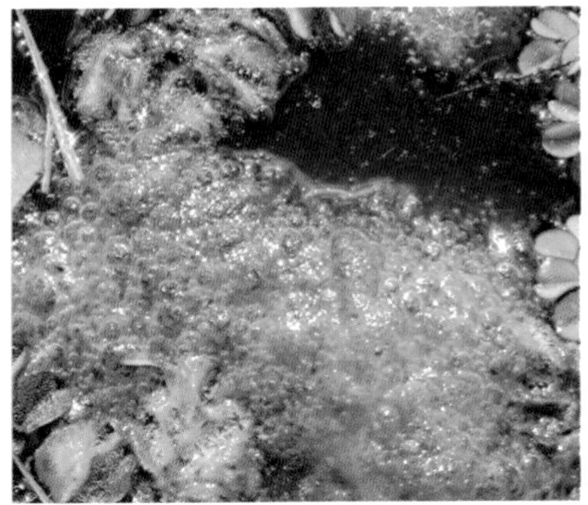

Detalle de una masa gelatinosa de algas verdes flotando sobre la superficie del agua, en un estanque bajo cubierta plástica. Vivero Panambí.

Estanque bajo cubierta plástica, con la superficie del agua tapizada de algas verdes, favorecidas por el aumento de la temperatura y la escasez de plantas que puedan dar sombra. Vivero Panambí.

Órganos de flotación

Los órganos de flotación son fundamentalmente las hojas y los tallos. Las hojas tienen una estructura simple, no poseen estomas, y el gas disuelto se difunde a través de la epidermis que posee paredes externas muy reducidas.

Algunas hojas se encuentran divididas, ramificadas, y son muy finas, como en el caso de la Cabomba australis y de la Ceratophyllum demersum. Otras veces, son longilíneas y de poca consistencia, como en la Vallisneria spiralis y en la Panicum elephantipes.

Algunas plantas acuáticas presentan una lámina foliar expandida horizontalmente como en las Nymphaeas (nenúfares) y en las Victorias regias, que flotan como grandes platos sobre el agua gracias a la presencia de cámaras aeríferas. En general, los tallos de las plantas acuáticas se caracterizan por ser muy finos, livianos y carecer de cutícula, al igual que las hojas. Los de los camalotes (Eichornia crassipes) poseen los pecíolos hinchados con un tejido con cámaras aeríferas. Las raíces son muy finas y extendidas.

1) Tallos engrosados flotantes con parénquimas aeríferas que les permiten flotar. Camalotes (Eichornia crassipes).

*Camalotes (*Eichornia crassipes*). Vivero Panambí.*

*Camalotes (*Eichornia crassipes*). Water Life.*

2) Hojas flotantes. Salvinia natans; Pistia stratiotes; Lemna gibba; Aponogeton distachyus.

Planta acordeón (Salvinia natans). *Vivero Panambí.*

Repollito de agua (Pistia stratiotes). *Hojas carnosas flotantes. Vivero Panambí.*

Aponogeton (Aponogeton distachyus). *Hojas flotantes. Vivero Panambí.*

Nenúfares (Nymphaea sp.). *Flores y hojas flotantes. Vivero Panambí.*

Aponogeton (Aponogeton distachyus). *Detalle de las flores blancas y perfumadas. Vivero Panambí.*

3) Pecíolos hinchados como flotadores. Camalotes (Eichornia crassipes).

Flotan por sus tallos y pecíolos foliares hinchados, y llenos de parénquimas aeríferas.

Detalle de los pecíolos engrosados de Eichornia crassipes. *Vivero Panambí.*

Familias botánicas

Las siguientes son las familias botánicas a las que pertenecen la mayoría de las plantas acuáticas.

Potamogetonáceas	Potamogeton (Potamogeton ferrugineus).
Hidrocaritáceas	Elodea (Elodea densa; Elodea callitrichoides). Vallisneria (Vallisneria spiralis).
Nympháceas	Cabomba (Cabomba australis). Nenúfares (Nymphaea sp.). Nelumbio (Nelumbo nucifera). Irupé (Victoria cruziana). Victoria amazónica (Victoria regia).
Ceratophiláceas	Ceratophyllum (Ceratophyllum demersun).
Haloragáceas	Myriophyllum (Myriophyllum aquaticum).
Lemnáceas	Lenteja de agua (Lemna gibba). Spirodela (Spirodela intermedia). Wolffia (Wolffia papulifera).
Aráceas	Repollito de agua (Pistia stratiotes).
Salviniáceas	Helechito de agua o planta acordeón (Salvinia rotundifolia y otras).

Hábitat

América del Sur y Asia son los continentes con mayor riqueza en flora acuática.
En América, se encuentra especialmente en las zonas templadas y tropicales del sur: Brasil, el noreste de la Argentina (Misiones y Corrientes), Paraguay y Uruguay.
La formación mesopotámica (Argentina y Uruguay) es muy rica en plantas acuáticas, y también las lagunas y arroyos de Buenos Aires.
Asimismo, pueden hallarse plantas acuáticas en las zonas templadas de Australia y África.

Las plantas se distribuyen en zonas geográficas, que pueden ser amplias o pequeñas, que se denominan "áreas de dispersión", en las que cada especie crece espontáneamente. Los límites de estas áreas no son fijos, ni se corresponden con un solo país, pues los motivos que limitan esas zonas de dispersión pueden ser tanto geográficos, geológicos, por factores físico-fisiológicos (como el clima, las temperaturas, el régimen de lluvias y las condiciones del suelo) o físico-químicos.

Grupos de plantas acuáticas

Las plantas que viven en el agua se denominan "hidrófitas"; y las que viven en terrenos inundables, "helófitas". De ambas categorías se distinguen tres grupos:

1. Flotantes. **2. Sumergidas.** **3. Palustres.**

1. Plantas acuáticas flotantes

Este grupo está formado por numerosas plantas de lugares templados y aguas quietas. Gran parte de ellas, se encuentra en América del Sur.
Entre las plantas acuáticas flotantes están las microscópicas, que flotan en el agua, pero que no se ven a simple vista, y forman parte del plancton.
Estos tipos de plantas requieren de una buena exposición solar y protección de los vientos. Es necesario realizar una plantación de árboles de hojas persistentes para detener los vientos predominantes y que no produzcan caídas de hojas sobre el agua.
Las plantas macroscópicas incluyen a: los nenúfares (Nymphaeas alba y otras especies); amapolita de agua (Hydrocleis nymphoides), lenteja de agua (Lemna gibba); repollito de agua (Pistia stratiotes) y camalote (Eichornia crassipes).

Plantas flotantes

Nombre botánico	Nombre común	Características
Aponogeton distachyus	Aponogeton	Hojas verdes oblongas, elípticas, con nervaduras muy marcadas y pecíolos largos. Planta rizomatosa, tuberosa. Flores en espigas perfumadas, que emergen a la superficie en el verano. Necesita sol y media sombra. Se multiplica por división de matas, rizomas y semillas. Se halla en la Argentina y Uruguay, en la ribera del Río de la Plata y en el litoral mesopotámico.
Azolla filiculoides	Helechito de agua	Planta flotante muy pequeña con rizomas finos y hojas dispuestas en forma dística, bilobuladas con iridiscencia rojiza en los bordes. Es una planta invasora de los estanques. Se multiplica por división de matas y esporos.
Eichornia crassipes	Jacinto de agua; camalote	Perenne, arrosetada, con raíces gruesas, negras y grandes. Hojas aovadas de unos 10 a 12 cm de diámetro, con pecíolos ensanchados con tejido esponjoso que le permite flotar. Flores lilas, con una mancha central amarilla y en espigas destacadas. Se encuentra en la zona cálida de América, en la Argentina y Uruguay, y en la ribera del Río de la Plata y el litoral mesopotámico. Florece en primavera-verano y se multiplica por división de matas.
Lemna gibba	Lenteja de agua	Frondes solitarias o reunidas de a 2 o de a 4, obovadas, de 3,5 a 6 mm de diámetro. La cara superior es algo convexa y la inferior plana. Especie muy invasora en los estanques, pues cubre casi totalmente la superficie del agua, quitando la luz y produciendo problemas en los filtros, por el atascamiento de residuos. Se reproduce muy activamente por división de matas. Se halla en la Argentina y en áreas templado-cálidas de Sudamérica.
Nelumbo nucifera	Loto sagrado	Hojas grandes, orbiculares, peltadas, flotantes, de consistencia fina, color verde musgo o verde glauco, aterciopeladas, miden 30 a 70 cm de diámetro. Con márgenes lisos y pecíolos largos. Tallo de 2 m. Florece en verano. Flores perfumadas rosadas o blancas de 10 a 25 cm de diámetro. Se multiplica por rizomas y semillas. Se encuentra en Asia y Australia.
Nelumbo lutea	Loto americano	Loto de América del Norte, con hojas circulares verde azuladas, de 50 cm de diámetro, con nervaduras destacadas en el envés y tallos de 2 m de altura, flores amarillas y rosas de 25 cm de diámetro.
Nymphaea alba	Nenúfar	Hojas flotantes, suborbiculares de 10 a 20 cm de diámetro, largamente pecioladas. Flores blancas perfumadas, de 10 a 12 cm de diámetro, con estambres amarillos destacados. Floración en verano. Originaria de Europa y África.
Panicum elephantipes	Pasto camalote	Gramínea de tallos muy finos y largos que le permiten fácilmente flotar. Aparece en tanques de tipo australiano y arroyos con Eichornia crassipes. Invasora. Vive en las zonas cálidas de América y en camalotales del Río de la Plata y del delta del Paraná.
Pistia stratiotes	Repollito de agua	Hojas arrepolladas, pequeñas, de unos 4-8 cm de largo, verde claro, con nervaduras muy marcadas. Flores blancas protegidas por una espata. Muy utilizada en estanques y acuarios. Se halla en la Argentina, en la América tropical y subtropical.
Potamogeton ferrugineus	Potamogeto	Hojas lineales, trinervadas, de 15 cm de largo, envainadoras en la base. Tallos sumergidos. Flores en espigas, cilíndricas, verdoso amarillentas. Especie muy común en los tanques australianos. Es invasora. Se multiplica fácilmente. Se encuentra en regiones templadas de América del Sur.

Nombre botánico	Nombre común	Características
Salvinia rotundifolia	Helechito de agua; planta acordeón	Hojas flotantes plegadas (frondes) en la nervadura media, de ahí el nombre común de planta acordeón. Color verde claro, suborbiculares, de 2 cm de largo por 1,5 de ancho. Cubren la superficie del agua de los estanques. Se hallan en la Argentina y en la América tropical y subtropical.
Salvinia minima	Acordeón de agua	Hojas pequeñas, redondeadas, de 1 cm de diámetro. Vive con poca cantidad de agua. Soporta heladas. Es originaria de Sudamérica, especialmente de las regiones templadas y cálidas.
Spirodela intermedia	Lenteja de agua	Frondes muy pequeños unidos de 3 a 5 cm; orbiculares de 4-8 mm de largo. Nervaduras marcadas; raíces ramificadas. Resiste heladas. Vive en lagunas con poca agua de América tropical y subtropical.

Nenúfares tropicales. Water life.

Amapolita de agua (Hydrocleis nymphoides).

Pasto camalote (Panicum elephantipes). *Gramínea de tallos finos y largos, muy común en las aguas estancadas. Jardín botánico, Facultad de Agronomía, UBA.*

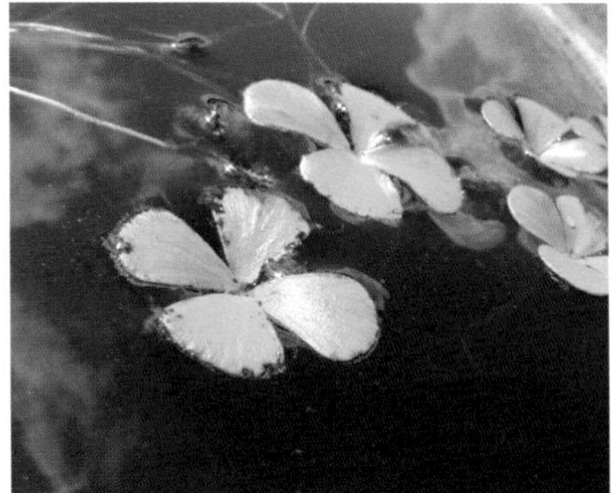

Trébol de cuatro hojas (Marsillea concinna). *Planta flotante de hoja tetrafoliada. Tiene pecíolos largos y raíces arraigadas en el fondo del estanque. Vivero Panambí.*

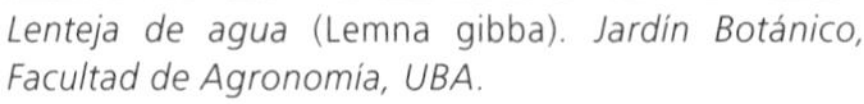

Lenteja de agua (Lemna gibba). *Jardín Botánico, Facultad de Agronomía, UBA.*

Lentejón (Limnobium stolonifera). *Detalle de hojas oblongas. Vivero Panambí.*

2. Plantas acuáticas sumergidas

Viven bajo agua y se las llama también "oxigenadoras", porque, al realizar la fotosíntesis dentro del agua, producen oxígeno. Esto es muy bueno cuando en el estanque hay peces. Este grupo se utiliza en peceras y acuarios. Asimismo, requieren de aguas quietas y buena exposición solar.

Ceratophyllum demersum. *Tallos finos con sus hojas dispuestas en verticilos de a 10 ó 12 ramificaciones junto a un eje central.*

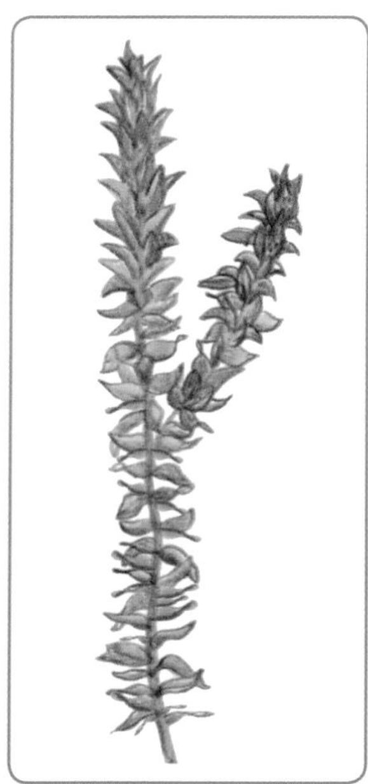

Elodea densa. *Planta y flores.*

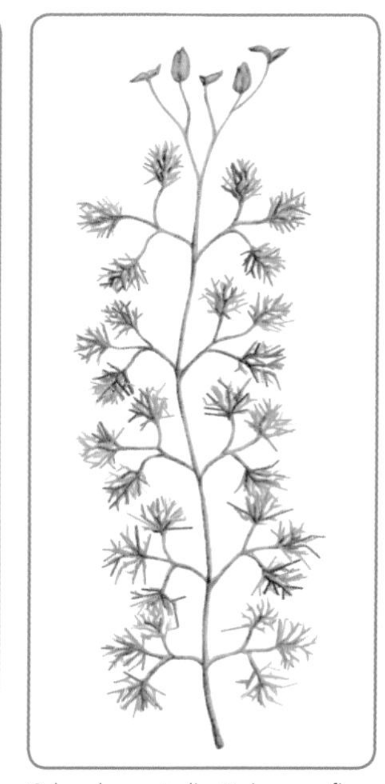

Cabomba australis. *Hojas muy finas y divididas, formando abanicos, dispuestas a ambos lados del tallo. Flores en la superficie y flotantes.*

Plantas sumergidas

Nombre botánico	Nombre común	Características
Cabomba australis	Cabomba	Planta arraigada, perenne. Tallos largos y finos. Hojas opuestas, muy divididas, de contorno circular, palmitisectas, finas, formando como abanicos abiertos. Es común en arroyos y lagunas de aguas quietas de zonas templadas y subtropicales de América del Sur. Se multiplica por esquejes y división de matas. Muy usada en acuarios.
Ceratophyllum demersum	Cola de zorro	Planta perenne. Hojas lineares, aserradas en los bordes, muy finas, color verde claro, en verticilos dicotómicos. Se multiplica por esquejes y división de matas. Es común en lagunas y arroyos. Se utiliza en acuarios y estanques. Es originaria del sur del Brasil y del norte de la Argentina.
Elodea callitrichoides	Elodea	Planta perenne, arraigada en el fondo del agua de lagunas y arroyos. Hojas opuestas o en verticilos de 3, lanceoladas. Flores blancas solitarias; las masculinas son pediceladas, ascienden a la superficie y allí polinizan a las flores femeninas. Tallos extendidos, hojosos, formando masas densas. Se multiplica por esquejes. Es muy utilizada por los acuaristas. Se encuentra en Uruguay y la Argentina.
Elodea densa	Elodea	Planta perenne, arraigada en el fondo del agua de arroyos y lagunas. Tallos cilíndricos, laxos, ramificados. Hojas lineales en verticilos de 3 ó 6. Flores blancas que se abren en verano dentro del agua, y luego emergen las masculinas con sus largos pedicelos; las femeninas son solitarias. Es una planta muy común en la cuenca del Río de la Plata, también en otras zonas de la Argentina y Uruguay. Se multiplica por estacas, en verano. Se usa en acuarios con temperaturas entre 5 °C y 22 °C.
Myriophyllum elatinoides	Gambarrusa	Planta perenne, con tallos ramificados y ascendentes muy largos de hasta 1 m. Las hojas inferiores son pinatífidas y las superiores, enteras. Muy utilizada en los acuarios. Se halla en América Central y del Sur.
Vallisneria spiralis	Vallisneria	Planta perenne, de hojas lineales, de 20 cm de largo x 1,5 de ancho. Se multiplica por estolones que echan raíces en el sustrato; también por semillas y esquejes. Flores blanco-verdosas en verano, se abren dentro del agua y ascienden a la superficie; las femeninas forman un espiral con el pedúnculo floral. Es muy utilizada en acuarios. Se encuentra en regiones cálidas del mundo.

Reproducción

Las plantas acuáticas sumergidas presentan características propias de reproducción, como por ejemplo la Elodea, que se poliniza bajo el agua. Las flores emergen y forman los frutos, que se vuelcan ya maduros hacia abajo, y las semillas caen por su peso a la tierra. Al poco tiempo, germinan con buenas temperaturas durante el verano.

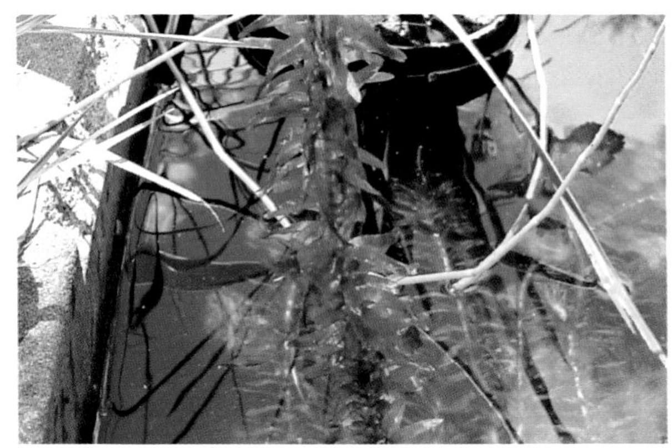

Elodea densa.

Cabomba (Cabomba australis). *Vivero Panambí.*

Cola de zorro de las lagunas (Ceratophillum demersum).

Elodea. Planta entera.

Gambarrusa (Myriophyllum elatinoides). *Formando una capa rosado grisácea sobre la superficie del agua. Water life.*

Gambarrusa (Myriophyllum elatinoides). *Water life.*

3. Plantas acuáticas palustres

Son plantas que se encuentran en lugares húmedos y anegadizos, como los pantanos. También están presentes en los bordes de las lagunas donde el suelo es muy húmedo o barroso. Son las especies más numerosas entre las plantas acuáticas. Se dividen en herbacéas y leñosas, predominando en gran número la primera categoría.

Juncos variegados. Vivero Panambí

Junco espiral (Juncus effusus). *Vivero Panambí.*

Junco común (Scirpus riparius). *Vivero Panambí.*

Acorus (Acorus gramineus albo variegatus). *Vivero Panambí.*

Juncos enanos. Vivero Panambí.

Totora (Typha latifolia). *Tallos en flor. Vivero Panambí.*

Totora (Typha latifolia). *Detalle de las flores femeninas basales y las masculinas en la extremidad de la espiga compacta. Vivero Panambí.*

Totora enana (Typha latifolia var. nana). *Vivero Panambí.*

Totora común (Typha latifolia). *Detalle de las hojas.*

Cola de caballo (Equisetum hyemale). *Jardín botánico. Facultad de Agronomía. UBA.*

Cola de caballo gigante (Equisetum giganteum). *Jardín botánico, Facultad de Agronomía, UBA.*

Ruellia (Ruellia britoniana). *Vivero Panambí.*

Ruellia. Detalle de la planta con flores. Mata.

Pontederia o camalote (Pontederia lanceolata). *Detalle de las flores lilas, espiga erguida y compacta. Vivero Panambí.*

Plantas palustres herbáceas

Nombre botánico	Nombre común	Características
Acorus gramineus var. albo variegatus	Acorus variegado	Planta rizomatosa perenne. Hojas lineares erguidas, verdes y brillantes, con franja blanca y de 30 cm de largo por 2 a 4 mm de ancho. Flores acompañadas por una espata envolvente. Floración en otoño-invierno-primavera. Requiere sol y media sombra, y lugares húmedos. Es muy resistente a las heladas. Se multiplica por división de matas y rizomas. Es originaria del Japón.
Acorus gramineus var. nana	Acorus enano	Planta rizomatosa perenne de 15 a 20 cm de altura. Hojas lineales verde claro. Florece en otoño-invierno-primavera. Necesita sol. Se multiplica por división de matas y rizomas. Es originaria del Japón.
Acorus gramineus	Acorus	Planta rizomatosa perenne de 30-35 cm de altura. Hojas finas, semejantes a una gramínea. Requiere exposición al sol para las variedades de hojas verdes y sol liviano o media sombra, para las disciplinadas. Se multiplica por división de matas y rizomas, en primavera. Es originaria del Japón.
Arundo donax	Caña de Castilla	Planta rizomatosa perenne de unos 2 a 3 m de altura. Rizomas poderosos y cañas huecas. Hojas anchamente lineares, verdeglaucas, alternas, de 60 cm de largo. Requiere exposición al sol. Floración en panoja de 30-60 cm de largo. La variedad versicolor tiene hojas con franjas blancas muy decorativas, de uso en jardines. Se multiplica por división de rizoma. Es europea, pero naturalizada en el norte argentino.
Bacopa monnieri	Bacopa	Planta perenne, de unos 10 cm de altura. Florece en primavera-verano-otoño. Tallos rastreros, radicantes. Necesita sol y media sombra. Tolera heladas. Vive en lugares muy húmedos como bañados. Es originaria de Sudamericana, más específicamente de la Argentina.
Bidens laevis	Amor seco	Planta perenne, erguida, de 70 cm a 1 m de alto. Florece en primavera-verano-otoño. Vive en pantanos. Requiere sol. Se encuentra en la ribera del Río de la Plata y en pajonales del delta. Es originaria de la Argentina.
Caltha palustris	Calta, hierba centella	Perenne, rizomatosa, de 30 cm de altura. Hojas oscuras de 4 a 10 cm de diámetro; sagitadas con pecíolos largos. Flores amarillas con largos pedúnculos. Se encuentra en zanjas y suelos cenagosos, pero puede crecer en 5 cm de agua por cortos períodos, ya que prefiere los bordes húmedos y la media sombra. Resiste heladas. Se multiplica por división de matas, semillas y rizomas. Es del norte de América.
Colocassia sculenta var. black maggic	Taro purpúreo	Planta perenne, de 0,70 a 1 m de altura. Hojas sagitadas, peltadas, grandes y purpúreas. Flores blancas con espatas llamativas; pedúnculos florales y pecíolos purpúreos. Se multiplica por división de matas. Es originaria del este de Asia.
Cyperus alternifolius	Paragüitas	Planta perenne de 40-50 cm de altura. Tallos angulosos, triangulares, verde oscuros. Forma matas cespitosas. Inflorescencia en umbela. Se multiplica por división de matas y por semilla. Vive en África.
Cyperus haspan	Papiro enano	Planta perenne de 30 a 40 cm de altura. Requiere de exposición al sol y media sombra. Tolera heladas livianas. Crece en el delta del Paraná.
Cyperus giganteus	Pirí o papiro nativo	Planta perenne de 1,50 a 2 m de altura; rizomatosa. Necesita sol o media sombra. Crece en el delta del Paraná.

Nombre botánico	Nombre común	Características
Cyperus papyrus	Papiro del Nilo o papiro de Egipto	Perenne de 2 m de altura. Hojas muy finas, plumosas, verde claro, de 12 a 30 cm de largo, péndulas. Tallos triangulares. Inflorescencia en espiga. Profundidad del agua: 30 cm. Requiere sol y media sombra. Crece en clima templado-cálido, a una temperatura mínima de 5 °C. Es originaria de Egipto.
Equisetum hyemale	Cola de caballo	Planta erguida, rizomatosa, perenne, de 0,80 a 1 m de altura; con tallos cilíndricos. Hojas pequeñas escamiformes. Crece en terrenos húmedos, a orillas de cursos de agua o lagunas. Necesita sol o media sombra. Se multiplica por rizomas. Tolera heladas leves. Es originaria de Sudamérica.
Equisetum giganteum	Cola de caballo gigante	Rizomatosa de 1 a 2 m de altura; con tallos gruesos, fistulosos, ramificados, acostillados; y ramas verticiladas. Hojas escamiformes oscuras. Se multiplica por rizomas. Es originaria de la Argentina.
Hydrocotile bonariensis	Paragüitas	Rastrera, perenne, rizomatosa, de hojas crenadas, suborbiculares, peltadas, con largos pecíolos. Florece en primavera-verano. Cubresuelos. Necesita humedad, sol y media sombra. Crece a orillas de arroyos. Se multiplica por división de matas o por semillas, en primavera. Originaria de Uruguay, Argentina y Chile.
Hosta plantaginea	Hosta o Funkia	Planta perenne, con hojas radicales de forma oval o cordada, con largos pecíolos y nervaduras marcadas. Forma matas de 40 a 50 cm de altura. Flores blancas. Floración verano-otoño. Requiere de media sombra y sol ligero. Crece en suelos ligeramente ácidos; necesita turba o resaca con mulching al pie de las plantas. Se multiplica por división de matas. Es originaria de la China y el Japón.
Houttuynia cordata Variegata	Camaleón	Perenne de 40 a 50 cm de altura. Matosa, de follaje verde grisáceo, rosado y amarillo. Hojas triangulares de 3 a 9 cm de largo. Planta muy decorativa por sus tonos rosado, verde claro y verde grisáceo. Florece en verano. Flores blancas. Se multiplica por semillas y rizomas, en primavera. Es originaria de la China y el Japón.
Iris sibirica	Iris de Siberia	Rizomatosa, de 50 a 80 cm de altura. Hojas verdes oscuras y angostas, cespitosas, lineares, de 30-60 cm de largo por 5-10 mm de ancho. Flores a nivel de las hojas; tépalos oblongos, azules y venas violetas. Florece en primavera. Es originaria del centro de Europa y Rusia.
Juncus (Scirpus) effusus var. spiralis	Junco espiral	Planta perenne, de tallos espiralados de unos 30 a 45 cm, verde oscuros. Requiere sol y media sombra. Crece en terrenos pantanosos. Flores pequeñas y marrones. Florece en verano. Es originaria de Asia.
Lysimachia japonica	Lisimaquia	Planta perenne de unos 40 cm. Necesita sol y media sombra. Flores amarillas. Florece en primavera. Tiene espiga erguida. Se multiplica por división de matas. Resistente a heladas. Originaria del Japón.
Lysimachia numularia aurea	Lisimaquia, hierba de la moneda	Planta perenne, rastrera, de 5 a 10 cm de altura. Cubresuelos. Crece en suelos húmedos. Hojas de 2 cm de diámetro, redondas, ovales, opuestas. Flores amarillas. Follaje dorado. Forma un tapiz de color amarillo claro. Florece en verano. Se multiplica fácilmente por esquejes. Es originaria de Asia.
Phalaris arundinacea var. picta	Alpiste	Gramínea erguida de unos 30 a 60 cm de altura. Con rizomas, estolones, y espiga de pocas flores. Hojas con franjas longitudinales amarillentas y verdosas. Requiere sol y media sombra. Es originaria de Europa y Asia.

Nombre botánico	Nombre común	Características
Ruellia britoniana var. blue bells	Ruellia	Planta perenne, de 0,60 a 1,20 m de altura. Floración azul en primavera-verano-otoño. Requiere sol y media sombra. Tolera heladas suaves. Se halla en México y en los Estados Unidos.
Ruellia britoniana var. nana azul-Katie	Ruellia enana	Planta perenne de 25 cm de altura. Florece en primavera-otoño. Requiere de sol y media sombra. Tolera heladas suaves. Crece en suelos húmedos. Es originaria de México.
Sagitaria montevidensis	Saeta	Planta rizomatosa, de unos 50 a 80 cm de altura. Hojas flotantes lanceoladas, finas bajo el agua, en forma de saeta y pecíolos largos que emergen del agua. Flores blancas. Se multiplica por división de matas. Se encuentra en la Argentina y Uruguay.
Scirpus cernuus	Junquito	Planta perenne de unos 25 cm de altura. Hojas finas y péndulas en sus extremidades, con bordes ásperos. Necesita sol y media sombra. Se multiplica por división de matas y semillas. Resiste heladas. Es una planta cosmopolita.
Scirpus riparius	Junco	Planta perenne de 1 a 2 m de altura, con hojas finas y cortantes en los bordes. Multiplicación por división de matas y rizomas. Muy rústica. Se encuentra en América.
Schoenoplectus (Scirpus) californicus	Junco triangular	Planta perenne de 1 a 3 m de altura. Hojas finas como pastos. Flores insignificantes. Se multiplica por división de matas y secciones de los rizomas. Es muy rústica. Es originaria de América del Norte, pero está adaptada al delta del Paraná.
Scirpus tabernaemontani var. zebrinus	Junco zebra	Planta perenne, rizomatosa, de 0,60 a 1,50 m de altura. Erguida, con tallos verde grisáceos. Presenta bandas blanco-cremosas transversales. Se multiplica por división de matas y rizomas. Se encuentra en Europa.
Scirpus californicus	Junco	Planta perenne, de 1 a 3 m de altura. Tallos triangulares, erguidos, verde oscuros. Rizomatosa. Hojas reducidas. Es el junco del Río de la Plata y del delta del río Paraná. Se multiplica por división de matas y rizomas. Es originario de América del Norte.
Thalia geniculata	Talía	Planta perenne de 80 cm de altura. Hojas oblongas, acuminadas. Flores violetas en panojas. Florece en verano. Se multiplica por división de matas y rizomas. Se usa para ornamentar acuarios. Se encuentra en la Argentina.
Thalía multiflora	Talía	Planta perenne de 1 a 1,5 m de altura. Hojas aovadas, lanceoladas, acuminadas. Florece en verano y se multiplica por división de matas, rizomas y semillas. Ideal para lugares anegadizos. Es originaria de la Argentina.
Typha latifolia var. nana	Totora enana	Planta perenne de 40 a 50 cm de altura. Erguida. Hojas lineales. Matosa. Crece en lugares anegadizos. Se multiplica por división de matas y rizomas. Se halla en la Argentina.
Typha domingensis	Totora gigante	Planta perenne de 1,5 a 3 m de altura. Erguida. Hojas lineales. Floración característica en espigas compactas de hasta 35 cm de largo. Florece en primavera-verano. Resiste heladas. Es originaria de la Argentina.
Typha latifolia	Totora común	Planta perenne de 1 a 2 m de altura. Rizomatosa y erguida. Florece en verano, en espigas compactas marrones de 18 cm de largo por 1,5 de grosor. Se multiplica por división de matas y rizomas. Resiste heladas. Es una planta sudamericana.

Nombre botánico	Nombre común	Características
Zantedeschia aethiopica	Cala blanca, Flor de cartucho	Planta perenne de 80 a 90 cm de altura. Rizomatosa. Hojas sagitadas. Flores en espata blancas a blanco-verdosas, de 10 a 15 cm de largo. Se multiplica por división de matas e hijuelos. Se origina en África.
Zephiiranthes candida	Azucenita del Río de la Plata	Planta perenne, vivaz, de 20-30 cm de altura. Bulbosa, con hojas lineares, angostas, verde brillantes. Flores blancas. Florece en verano-otoño. Resiste heladas leves. Se encuentra en la Argentina.
Xanthosoma violaceum	Taro del Brasil; taro azul; canilla de negro	Planta perenne de 70 cm de altura. Requiere sol y media sombra. Raíces tuberosas. Flores blanco-amarillentas. Hojas aovadas, sagitadas, glaucas y púrpuras; con venas marcadas. Pedúnculos purpúreos y tallos oscuros. Soporta temperaturas mínimas de 13 °C. Es una planta sudamericana y tropical.

Papiro egipcio (Cyperus papyrus). *Jardín botánico, Facultad de Agronomía, UBA.*

Cala blanca (Zantedeschia aethiopica). *Planta con flores. UBA.*

Paragüitas (Cyperus rotundifolius). *Detalle de las hojas. UBA.*

Paragüitas (Cyperus alternifolius). *Planta erguida de hojas más cortas y muy oscuras. Flores. Vivero Panambí.*

Paragüitas (Hydrocotile bonariensis). *Hojas verde claro con el pecíolo insertado en el centro. UBA.*

Papiro enano. Detalle de las hojas. Water Life.

Cola de caballo gigante (Equisetum giganteum). *Tallos y hojas dispuestas en verticilos. UBA.*

Taro (Colocassia sculenta). *Vivero Panambí.*

Achira (Canna glauca variegada). *Detalle de las hojas blancas y verde oscuras en franjas. Vivero Panambí.*

Camaleón (Houttuynia cordata variegada). *Follaje tricolor: verde, rosado y gris. Vivero Panambí.*

Cucharero (Echinodorus grandiflorus). *Muy común en charcos y zanjas, se asocia con las sagitarias. Vivero Panam-*

Achira (Canna coccinea variegada). *Hojas rayadas con tono purpúreo claro. Vivero Panambí.*

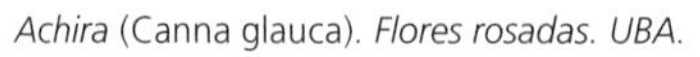

Achira (Canna glauca). *Flores rosadas. UBA.*

Achiras híbridas. Floración.

Café de la costa (Manihot flabelliformis) *planta leñosa. Water life.*

Ceibo del Paraná (Erythrina crista galli) *planta leñosa. Water life.*

Rosa del río (Hibiscus cisplatinus) planta leñosa y perenne. *Vivero Panambí.*

Distribución de las acuáticas según las profundidades del agua

Plantas flotantes de aguas profundas	Nymphaea sp.; Hydrocleis nymphoides; Aponogeton; Nymphaea alba; Nymphaea capensis
Plantas flotantes de poca profundidad de agua	Azolla filiculoides; Myriophyllum; Pistia stratiotes; Salvinia sp.
Plantas sumergidas	Potamogeton sp.; Ceratophyllum Demersum; Elodea densa; Cabomba australis
Plantas marginales de borde	Iris laevigata var. kaempferi; Caltha palustris; Acorus calamus; Iris pseudocorus
Plantas de pantano	Osmunda; Typha

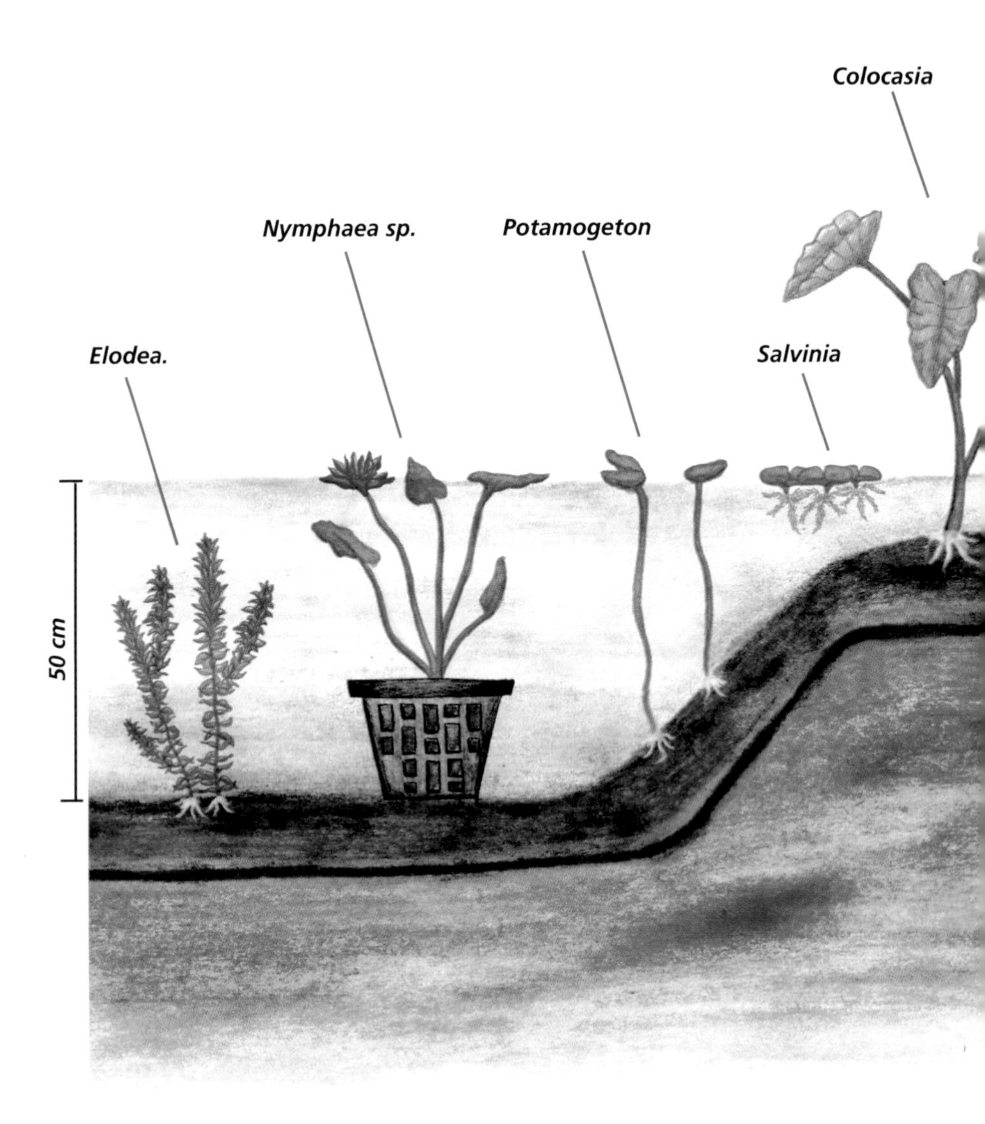

Ubicación de las plantas en el estanque, según la profundidad del agua.

Corte vertical

Según el tipo de jardín acuático, estanque o cascada, y la profundidad del agua, podrán distribuirse diferentes variedades de plantas, ya sean flotantes de agua profunda o de poco profundidad, que viven directamente en el agua. También podrán convivir plantas sumergidas, que mostrarán solamente sus hojas terminales y su floración; además de distribuir a lo largo de los bordes, plantas que acompañen el diseño del hábitat acuático (como puede observase en los bordes de las lagunas o de los bañados)

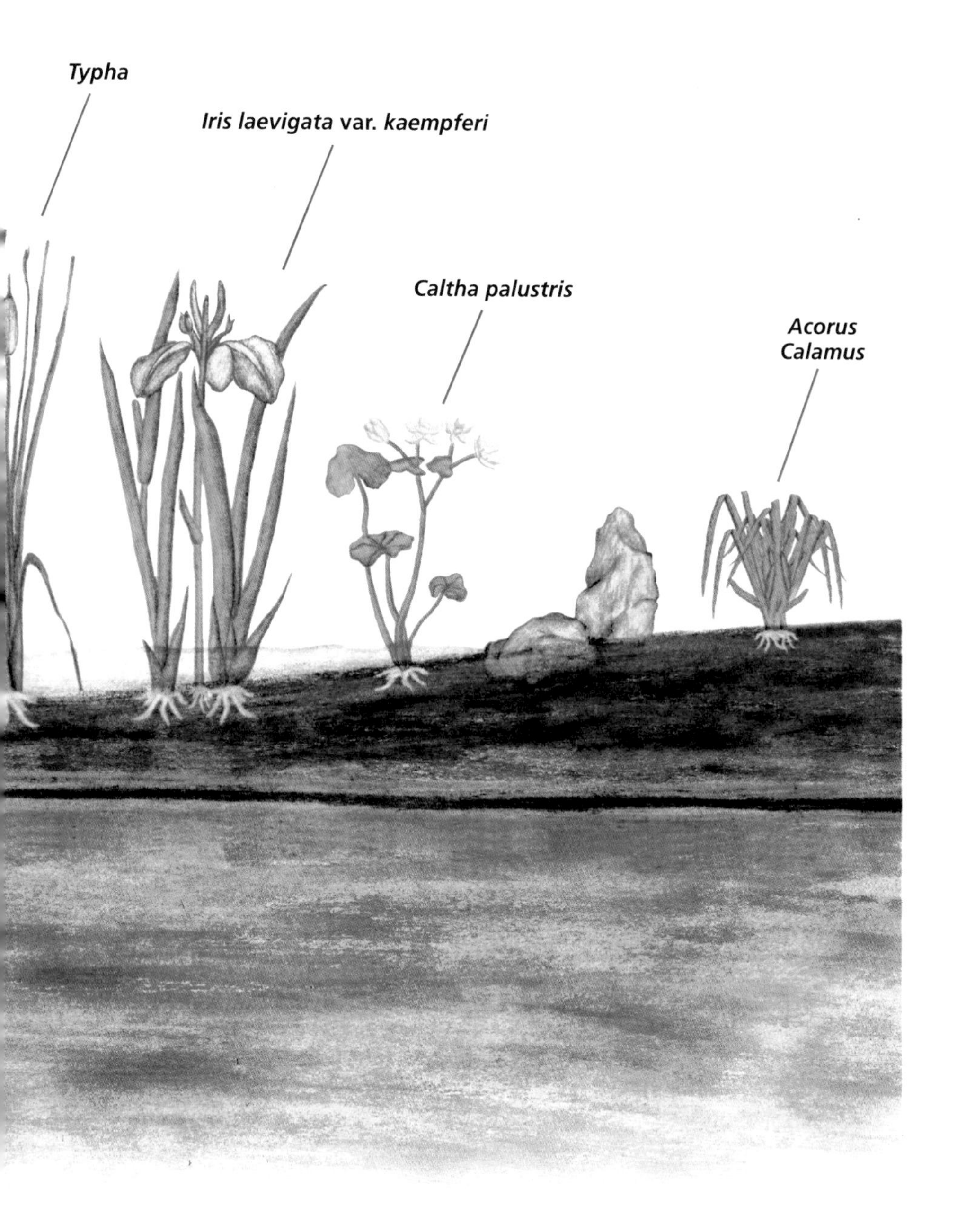

Plantas acuáticas exóticas

En paisajes acuáticos de lugares templados o cálidos es importante tener en cuenta algunas plantas de gran personalidad como los nelumbos o lotos, que pueden asociarse con los paragüitas, el papiro, Cyperus alternifolius, entre otros, y ofrecer un aspecto muy exótico y atractivo.

Los nelumbos son plantas acuáticas ligadas a la historia y a lo religioso. Los egipcios consideraban a los lotos como ejemplares sagrados y como símbolo de fertilidad. En las reuniones religiosas, el loto aparecía pintado con el sol aprisionado entre sus pétalos y también adornaba la cabeza de la diosa Osiris, símbolo de la fecundidad y de la naturaleza. El loto era el emblema del alto Egipto y el papiro (Cyperus papyrus), del bajo Egipto.

Especies de loto

Nombre botánico	Nombre común	Características
Nelumbo nucifera	Loto sagrado	Planta perenne, de hojas planas, circulares, verde glaucas, de 80 cm de diámetro. Tallos de hasta 2 m de altura. Floración llamativa de color rosado y blanco. Florece en verano. Necesita calor, no soporta temperaturas menores que 5 °C. Se halla en Asia, Irán y el Japón.
Nelumbo lutea	Loto americano	Planta perenne, con hojas de 50 cm de diámetro, verde lustroso. Flores rosadas y amarillas. Florece en verano. Necesita protección del frío; no soporta temperaturas menores que 7 °C. Se encuentra en América del Norte.
Nymphaea lotus	Jacinto de agua, loto egipcio.	Planta de hojas redondeadas, verde oscuro, dentadas, de 30-50 cm de diámetro, con nervaduras salientes. Flores blancas perfumadas con un leve tinte rosado de 12 a 25 cm de diámetro. Florece de día, en verano. Es originaria de Egipto.

Nelumbo nucifera. *Detalle de los frutos. Jardín botánico. Facultad de Agronomía. UBA.*

Nelumbo nucifera. *Detalle de la planta. Jardín botánico. Facultad de Agronomía. UBA.*

Nelumbo nucifera. *Detalle de las hojas. Jardín botánico, Facultad de Agronomía, UBA.*

Nelumbo nucifera. *Detalle de las flores. Jardín botánico, Facultad de Agronomía, UBA.*

Plantas acuáticas de cultivo

Entre las plantas acuáticas que se cultivan comercialmente, los nenúfares han recibido una mayor selección genética, a partir de la importación de plantas de otros países, especialmente de híbridos de los Estados Unidos.
También se cultivan para la venta a acuaristas las plantas sumergidas oxigenadoras como: vallisneria, elodea, cabomba y myriophillum.

Nenúfares *(Nymphaeas sp.)*

Familia botánica: ninfeáceas.

Otros representantes: cabomba; nymphaea; victoria.

Origen: regiones tropicales y templadas de ambos hemisferios. Egipto; Asia; México; América del Sur (Brasil, noreste de la Argentina y otros países).

Características botánicas

El género Nymphaea comprende unas cincuenta especies de plantas herbáceas acuáticas, perennes, cultivadas por sus flores —algunas veces fragantes— y por sus colores llamativos. Las hojas son brillantes y flotantes, acorazonadas, peltadas, hendidas en dos lóbulos, con un seno basal y un largo pecíolo. Estas plantas sirven de protección a los peces, que se recluyen debajo de ellas los días de mucho sol y calor, para obtener sombra. La importancia de los nenúfares también reside en el impedimento de la proliferación de las algas verdes, pues les restan sol, cuando sus hojas cubren la superficie del agua.
Las flores son muy vistosas y suelen presentar cambios de coloración por etapas, desde que abren hasta que termina su período de floración. Se caracterizan por estar abiertas siempre la misma cantidad de horas y se van renovando cada 5 días. Muchos ejemplares cambian de color a medida que las flores se van abriendo.
Florecen en verano hasta el otoño, y tienen 4 sépalos y pétalos angostos con estambres amarillos muy destacados.
Las flores que terminan su ciclo se invierten hacia abajo en el agua para formar las semillas que luego ascienden a la superficie, hasta que pierden las partes flotadoras o arilo y caen por su peso al fondo, enterrándose hasta que germinan. Abren sus flores desde la caída de la tarde hasta el día siguiente, llegando muchas veces hasta el mediodía. Por lo tanto, quedan abiertos durante la noche.
Sus raíces son gruesas y largas. Presentan rizomas de desarrollo horizontal y vertical, y tienen tallos estoloníferos. Los frutos son bayas con muchas semillas, que maduran bajo el agua.

Clases de nenúfares

Los nenúfares presentan dos clases de especies.

1. **Rústicos:** tienen hojas orbiculares, acorazonadas con los bordes lisos y de unos 12 a 15 cm de diámetro. Presentan flores blancas, amarillas, rosadas, colores pasteles adamascados, amarillo limón, durazno, rojo intenso, lavanda y fucsia. Prácticamente todos los colores, menos el azul. Estos ejemplares son flotantes y se apoyan sobre el agua tranquila de los estanques. Se abren a pleno sol y tienen numerosos híbridos.

2. **Tropicales:** también denominados "sensibles" o "no resistentes". Tienen hojas orbiculares, dentadas, de bordes sinuados, con el envés muy marcado por nervaduras, y coloreados. Presentan hojas algo más grandes que las especies rústicas, de unos 20 a 25 cm de diámetro. Las flores son erguidas, con pecíolos largos, de 25 a 30 cm de largo, y se alzan sobre la superficie del agua. Las flores engloban todos los colores, menos los bronceados y sus tonos. El fucsia, el lila y el violáceo, son los más difundidos. Las flores son muy elegantes, con pétalos algo puntiagudos. Son más cerrados que los nenúfares rústicos y nunca flotan sobre el agua. También presentan numerosos híbridos.

Tipos y variedades

Desde el punto de vista del cultivo, existen nenúfares híbridos de distinto origen. Dentro de las dos clases, hay muchas variedades. Algunos ejemplares rústicos soportan mejor las bajas temperaturas; pero los tropicales se hielan.

Variedades de nenúfares rústicos

- **Indiana:** flores de color durazno, cambiantes al rojo naranja, aterciopeladas y con estambres destacados.
- **Barbara Dobins:** color crema-durazno en el interior, y rosado claro afuera; los pétalos externos van cambiando hacia el amarillo. Se eleva un poco sobre el agua.
- **Jasmine Prince:** color fucsia sobre fondo blanco.
- **Perry´s fire:** rosa intenso.
- **Escarboucle:** predominan el púrpura y el fucsia.
- **Indian:** flores amarillentas, punteadas con fucsia.
- **Paul Harriot:** flores amarillas primero, luego rosadas.

Nymphaea *rústica var.* Indiana. *Vivero Panambí.*

Nymphaea *rústica* var. Barbara Dobins. *Vivero Panambí.*

Nymphaea *var.* Jasmine Prince. *Vivero Panambí.*

Nymphaea *rústica var.* Perry´s fire. *Vivero Panambí.*

Nymphaea *rústica var,* Escarboucle. *Flores púrpuras y fucsias. Vivero Panambí.*

Nymphaea *rústica de flores amarillas var.* Paul Harriot. *Vivero Panambí.*

Variedades de nenúfares tropicales

- **Jowi Tomocik:** flores de color amarillo limón vibrante; floración larga.
- **Panamá Pacific:** flores lilas (híbrido antiguo).
- **Red Stars:** flores rosas.
- **Mrs. George H. Pring Horz:** primer híbrido.

Nymphaea *tropical var.* Panamá Pacific. *Jardín Jápones. Escobar.*

Nymphaea *tropical var.* Mrs. George H. Pring Horz. *Vivero Panambí.*

Nymphaea *tropical var.* Jowi Tomocik. *Flores de color amarillo vibrante con rojo. Vivero Panambí.*

Nymphaea *tropical var.* Red Stars. *Vivero Panambí.*

Nymphaeas *tropicales. Vista de las hojas con el borde dentado. Vivero Panambí.*

Nymphaea *tropical. Detalle de las hojas coloreadas en el envés. Water Life.*

También, se clasifican en: **floración diurna** y **nocturna**. Los nenúfares de floración nocturna son, en su mayoría, especies tropicales.
Respecto de su talla, se clasifican en **miniaturas**, de **talla mediana** o **grande**. Ambas categorías —rústicos y tropicales— presentan ejemplares de diferentes tamaños.

Floración de nenúfares

Floración diurna

- Nymphaea alba
- Nymphaea odorata
- Nymphaea caerulea
- Nymphaea tuberosa
- Nymphaea capensis.

Floración nocturna

- Nymphaea magnifica
- Nymphaea lotus.

Nymphaea *de floración nocturna var.* Hitchcook. *Flores rosadas. Vivero Panambí.*

Nymphaea *de floración nocturna var.* Blue Start. *Floración lila. Vivero Panambí.*

Nymphaea *de floración nocturna var.* Haarstick Horz. *Vivero Panambí.*

Variedad de nenúfares miniatura (Profundidad de plantación de 10 a 30 cm de agua)

Nymphaea *tropical var.* Indiana Horz. *Pimpollos cerrados de día y hojas con borde aserrado. Vivero Panambí.*

Variedades de nenúfares de talla mediana (Profundidad de plantación de 30 a 50 cm)

Nymphaea *var.* alba Walter Pagels. *Vivero Panambí.*

Nymphaea *var.* Chromatella. *Vivero Panambí.*

Variedad de nenúfares de gran desarrollo (Profundidad de plantación: 80 cm)

Nymphaea *var.* Alba Virginalis Horz. *Flores blancas. Vivero Panambí.*

Cultivo

Los nenúfares son las plantas de cultivo más comúnmente empleadas en los jardines acuáticos y se consideran la base de cualquier propuesta de diseño de estanques. Por sí solos, estos ejemplares representan un jardín acuático.

Existe una gran variedad de cultivares de distinto color, forma y textura; algunos tienen flores aromáticas y hay muchos híbridos de floración diurna y nocturna.

Los nenúfares tropicales son más sensibles al clima, pero ofrecen una compensación ya que tienen flores perfumadas y muy llamativas, de colores azules y violetas, y de diámetros entre 20 a 25 cm, que sobresalen del agua unos 20 cm.

La plantación de este género es igual tanto en las especies rústicas como en las tropicales, lo que varía es la temperatura y la protección que se dispensa a los nenúfares tropicales en invierno.

Estas plantas pueden ser cultivadas al aire libre en macetas, dentro de estanques si son resistentes al frío o bien bajo vidrio, colocando las macetas a una profundidad de 40 cm en un invernáculo templado. Se deben evitar macetas de cemento y estanques construidos con este mismo material, pues deja residuos tóxicos que habrá que eliminar. En maceta, requieren un muy buen sustrato, rico en materia orgánica. Se deben evitar los sustratos con hojas, como mantillos no bien descompuestos, porque ensucian el agua; tampoco son convenientes los excesos en los fertilizantes, porque favorecen la aparición de las algas.

La maceta con el sustrato y la planta se cubren con arena gruesa, guijarros, canto rodado, leca, etc. Luego, se protege el ejemplar con malla de alambre, para evitar que se desparrame la tierra.

Los sustratos deberán cambiarse cuando las plantas decaen en su floración o cuando se hace la división de las matas en plantas de mucho desarrollo. La época ideal es en otoño o a fines de invierno, comienzos de primavera. Los nenúfares de porte vigoroso se plantan a profundidades mayores que 40 ó 50 cm. Y los nenúfares más pequeños, más arriba. Cada pie de nenúfar debe contar, en las variedades miniatura, con una superficie de 50 cm^2, y para las más vigorosas es necesario 2 ó 3 m^2.

Los nenúfares de cultivo se protegen del frío en invierno cuando el agua baja la temperatura y hasta se hiela, por lo cual se debe aumentar el nivel del agua de los estanques, para lograr atemperar las bajas temperaturas. Los nenúfares pierden las hojas, pero conservan vivos los rizomas. Deben cultivarse solos, sin otras especies.

También se le deben quitar las hojas secas o enfermas. El agua se debe mantener limpia, sin residuos, por eso el estanque debe poseer un sistema de filtros para evitar recargar el agua con residuos varios.

Mejoramiento genético

La mayoría de los nenúfares que se venden comercialmente son híbridos. Se ha realizado una labor de selección genética muy importante tanto sobre nenúfares tropicales como sobre los rústicos, y se han obtenido colores aterciopelados, cambiantes, con texturas y formas diversas, flores dobles, simples, con formas de estrella, con los pétalos puntiagudos, compactas, etc.

Irupé (Victoria cruziana) *en invernáculo, bajo vidrio. Jardín botánico de París, Francia.*

Multiplicación

La forma más común de multiplicación de los nenúfares es por división de matas. Pero también pueden multiplicarse por semillas, por esquejes y por ojos o yemas.
La multiplicación por semillas queda reservada para los hibridadores y productores de plantas madres.

1. Multiplicación por división de matas

Las plantas se dividen por sus rizomas. Las variedades resistentes se replantan cada 2 años o anualmente. La multiplicación se realiza en el verano de la siguiente manera:

A. Se dividen los rizomas de las plantas viejas del estanque. Estos deben ser gruesos para que tengan suficientes materiales de reserva.

B. Se cortan con cuchillo o navaja bien filosa, haciendo un corte neto y liso, obteniéndose 2 o más plantas.

C. Se colocan los trozos en una maceta con tierra franco-arcillosa; se cubren con la tierra y para que no se pierda con el agua, se cubre la superficie con cantos rodados o leca; se sumergen los rizomas a 15 ó 25 cm de profundidad. Los más pequeños, sólo se sumergen 8 cm. Deben colocarse en un lugar reparado a 21 °C.

Multiplicación de los nenúfares por división de matas.

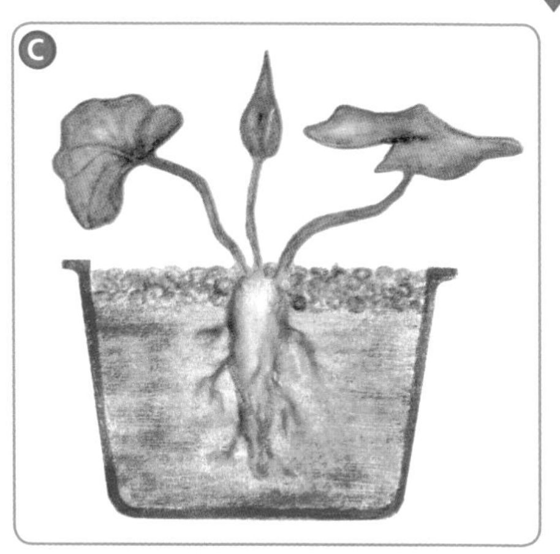

Plantación de rizomas de nenúfar ya dividido, con trozo de rizoma vertical.

Plantación de rizomas de nenúfar ya dividido, con trozo de rizoma horizontal.

2. Multiplicación por semillas

Se realiza en otoño o a fines del verano; y las plantas brotan en primavera. El sustrato para la siembra se forma con 1/3 de tierra liviana, 1/3 de mantillo maduro y tamizado, y 1/3 de arena fina. La multiplicación por semillas no es muy utilizada, salvo en el caso de los nenúfares miniatura (Nymphaea alba var. pygmaea).

Una vez florecidas las plantas, se debe vigilar el tiempo de formación del fruto y la aparición de las semillas. Los productores colocan una bolsita para que las semillas no se pierdan una vez que se forman, pues con frecuencia caen al piso del estanque.

Las semillas deben ser frescas, se siembran sobre sustrato rico en materia orgánica, en una terrina, luego se cubren unos milímetros con el mismo sustrato, y se coloca el semillero sobre una bandeja de agua a una temperatura de 15 a 20 °C, en el caso de los nenúfares rústicos, y unos 20 a 25 °C para las plantas tropicales, hasta que germinen. La germinación dura aproximadamente 15 días y, cuando salen las hojas flotadoras se repican a otra terrina. Una vez ya crecidas, se colocan en macetas con sustrato de tierra arcillosa, rica en materia orgánica, y se las coloca bajo un vidrio por 2 ó 3 años.

Cuando las plantas están listas, se realiza la plantación sobre la tierra del estanque, sujetando el rizoma con una horquilla para evitar que se mueva.

Las plantas obtenidas por semillas no son iguales a sus padres, y se genera variación de formas y color, porque aparecen caracteres heredables de otras generaciones (Ley de Mendel).

Los nenúfares se caracterizan por producir pocas semillas, por eso cuando los frutos están maduros se debe recogerlas, seleccionando las plantas por su estado sanitario y su desarrollo.

3. Multiplicación por esquejes

En este método se seleccionan estacas de plantas sanas, de 7 a 10 cm de longitud, y se llevan a sustrato húmedo rico en materia orgánica. Las plantas acuáticas más fáciles de reproducir por esquejes son las sumergidas como las Ceratophyllum, Elodea o Myriophyllum. El momento adecuado para la multiplicación por esquejes es el verano.

Multiplicación por esquejes, empleando un rizoma horizontal y grueso de nenúfar, para que posea suficientes reservas.

4. Multiplicación por ojos o yemas

Esta es una práctica lenta que puede durar de 1 a 2 años. Se realiza en primavera y en verano. Las yemas se extraen con un cuchillo filoso de los nudos de las raíces carnosas, de plantas adultas. En las heridas provocadas por los cortes, se aplica un funguicida cúprico; luego se colocan en agua y se cubren los ojos o yemas cuando sacan los primeros brotes.

Fertilización

Es un factor muy importante en todos los cultivos. Para el caso de las Nymphaeas se utilizan fertilizantes de liberación lenta, en polvo, con riqueza en fósforo y cantidades equivalentes en nitrógeno y potasio, por ejemplo: N-P-K, 10-16-10 o bien con predominio del nitrógeno para la época de crecimiento, como N-P-K, 18-10-10.

La liberación lenta permite una mayor permanencia de nutrientes y estos fertilizantes no contienen cobre, por lo que no representan un problema de toxicidad para peces y otros organismos acuáticos. Tampoco estimulan el crecimiento de las algas.

Estos componentes son básicos y muy importantes para un adecuado desarrollo. El

nitrógeno estimula la formación de los tejidos, la función fotosintética, la formación celular, el crecimiento, etc.; el potasio es un regulador de las acciones del nitrógeno en cuanto al crecimiento, endureciendo los tejidos, actuando como un preservador del estado sanitario de las plantas; y el fósforo actúa sobre la floración, la fructificación y el desarrollo radicular, entre otras funciones importantes.
La aplicación del fertilizante de liberación lenta en polvo se realiza envolviendo el fertilizante en una bolsita de papel y colocándolo en los bordes del estanque, entre las plantas que cubren ese espacio, para que se libere lentamente hacia las Nymphaeas cercanas. Se lo aplica en primavera y su acción dura de uno a dos meses.

Enfermedades y plagas

Entre las enfermedades que atacan a los nenúfares existen hongos productores de manchas de distinto tamaño. Pueden aparecer en las hojas (leaf spots), o en la zona de la corona —entre la raíz y el tallo— (crown roots). Los hongos de los distintos géneros pueden ser: Gleosporium, Cercosporas; Alternarias; Phyllostricta. El hongo Gleosporium nymphacearum produce manchas circulares, que se unen luego en manchas más grandes irregulares, con el centro rojizo pálido, que cubren las hojas y producen el manchado de los nenúfares.
En el caso de la podredumbre foliar bacteriana (brown spots), las hojas y los pedúnculos foliares aparecen con manchas pardo amarillentas; se produce la putrefacción de las hojas y cuando el ataque es fuerte, las hojas mueren y deben extraerse del agua.
Entre las plagas, el pulgón más común es el Rhopalosiphon nymphaeae, aunque también se pueden encontrar otros. Estos pulgones atacan las hojas y las flores, produciendo deformaciones y deterioro de los botones florales.
Asimismo, las orugas (Hydrocampa obliteralis) constituyen una fuerte plaga contra los nenúfares. En estos casos, es muy difícil realizar un control químico, pues por lo general se crían peces en los estanques junto con los nenúfares y la gran parte de los insecticidas empleados para combatir los pulgones son muy tóxicos para los peces, como los piretroides y el clorpyrifos. Aunque el uso de carbamatos es más aceptable, no conviene usar ningún insecticida si hay peces en el estanque.
Para combatir los pulgones, se debe realizar el tratamiento en forma manual, con un paño húmedo o un algodón mojado con agua jabonosa, limpiando los botones florales y las hojas, y arrastrando las formas jóvenes.
Asimismo, se debe tratar de extraer, periódicamente, las hojas comidas y afectadas, y controlar la aparición de insectos. La época más propicia para los controles es la primavera y el otoño, con temperaturas templadas y humedad ambiente adecuada.
Respecto del control biológico, hay que tener en cuenta que si en el estanque hay peces, estos se alimentan de las larvas de los insectos. Pueden controlar las larvas de moscas (Halesus radiatus y otras), que atacan las raíces de las plantas; las larvas de escarabajos (Galerucella nymphaea), que atacan el follaje de los nenúfares; y las larvas grisáceas de lepidópteros (Nymphula nymphaea), que atacan las flores y las hojas.

Manchas amarillo-amarronadas en las hojas de Nymphaea (leaf spots).

CAPÍTULO 3

Diseño de espacios acuáticos

Capítulo 3 Diseño de espacios acuáticos

Diseñar es un proceso creativo que incluye conocimientos estéticos —manejo de la forma y el color, armonía, equilibrio y unidad— y técnicos, que hacen a la funcionalidad del producto diseñado, es decir, que sea habitable, que responda a los fines de su creación, que su mantenimiento sea viable, etc.

Reglas generales

Aunque la manera de encarar un diseño depende en gran medida de los gustos personales, ideas y necesidades, existen algunas reglas generales que hay que tener en cuenta, como por ejemplo seguir un plan o proyecto básico, y respetar en todo momento la simplicidad y el detalle armonioso de las líneas, evitando la decoración en exceso.

Otro elemento para tener en cuenta es el equilibrio de la composición. Para lograr esto, se deben compensar los diferentes espacios. Está claro que una obra muy llamativa tiene mayor peso en nuestra percepción, que otra poco atractiva o deslucida. Los colores vivos, cálidos, como el rojo, naranja y amarillo tienen más protagonismo que los colores fríos como el celeste, lila o el azul. Estos últimos, seguramente pasan más inadvertidos que los primeros, pues impresionan menos a nuestros sentidos.

La forma y el color determinan centros de atracción; de este modo, un loto de enormes hojas verde grisáceas y pubescentes no pasa inadvertido en ningún lugar y crea un ambiente exótico. En cada sector del estanque habrá que darle importancia a estos conceptos básicos, mediante la selección adecuada de materiales, obras, especies, etc.

Estanque natural en un jardín bien utilizado. V. Panambí

Espacio equilibrado con una buena ubicación de papiros.

En cada lugar del jardín acuático se debe procurar incluir algún elemento de importancia, de manera que el conjunto esté equilibrado y resulte armónico. Es conveniente recurrir a algún contraste bien logrado para valorizar la composición. El uso del color siempre es adecuado para el contraste.

Composición desproporcionada respecto del lugar, por el tamaño de los papiros y el espacio reducido. Water Life.

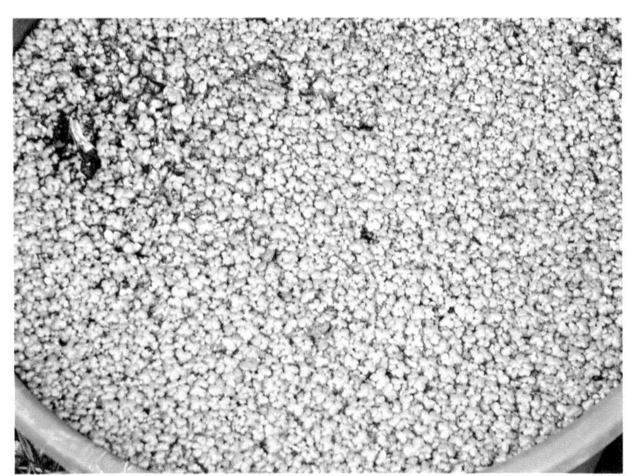

Lenteja de agua (Lemna gibba). *Demasiadas plantas para un contenedor tan pequeño.*

Diseño de un pequeño estanque en un espacio reducido (pared de un patio).

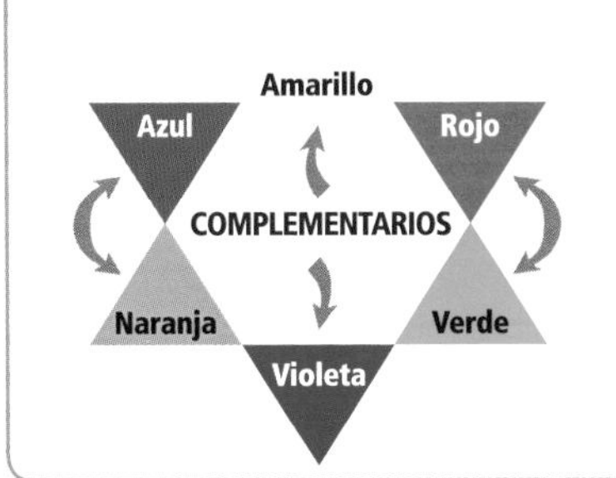

Colores primarios: rojo - azul - amarillo

Colores complementarios: rojo y verde - azul y naranja - amarillo y violeta

Colores secundarios: naranja - verde - violeta

Triángulos de los colores: primarios y secundarios o complementarios.

La oposición de colores contrastantes primarios entre sí —rojo, azul, amarillo—, produce un contraste muy fuerte, ciertas veces chocante, por lo tanto si se utiliza debe ser en pequeñas dosis. Con los colores secundarios —naranja, verde, violeta—, se logra resaltar cada componente e imprimir fuerza y personalidad a la composición. Por ejemplo, combinaciones de azul y naranja, o rojo y verde, o amarillo y violeta valorizan el diseño y crean un foco de atención dentro de una composición armoniosa.

Con los colores primarios trabajados en tonos decrecientes se logra crear una cierta armonía, pero algo monótona, por lo cual habrá que incorporar un color complementario que le imprima fuerza al conjunto.

Se pueden realizar contrastes más suaves, partiendo de un color primario, por ejemplo el rojo y uno secundario, dividido en sus componentes, por ejemplo verde amarillento, con lo cual, entre ambos se establece una afinidad y a la vez algo de contraste.

A partir de las texturas también se pueden crear contrastes, por ejemplo con hojas finas y erguidas de los juncos, que contrastan con las matas bajas de las ruellias y hostas, que poseen hojas redondeadas. O ciertas hojas de disposición horizontal, como las de Nymphaeas y Aponogeton, combinan con las hojas rígidas y erguidas de los Iris pseudocorus y de las Typhas. Lotos y juncos, por ejemplo, difieren en sus formas, textura y color. En los bordes del estanque, se pueden combinar ruellias, planta de matas de hojas blandas, y Acorus gramineus, de hojas finas y erguidas.

Contraste suave sobre la base del color y la forma (tonos verdes y variegados).

Contraste natural de hojas variegadas de achira, con achiras no variegadas.

Textura gruesa y hojas purpúreas de las achiras.

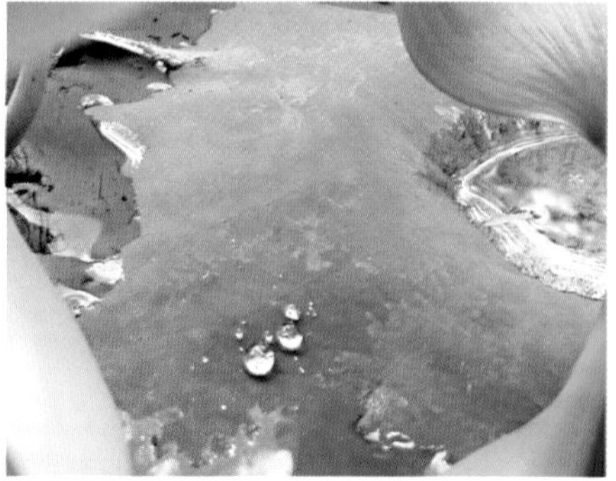

Textura gruesa y gotas de agua que se deslizan por la superficie lisa y brillante de los camalotes.

Diseño armónico de camalotes en flor.

Contraste de hojas bordó, muy llamativas, con nenúfares verdes.

Contraste más intenso, entre el color del follaje y de las flores.

Hojas de textura gruesa de las calas.

Papiro (Cyperus papyrus). *Hojas de textura fina.*

Otro factor importante es que siempre se debe guardar la proporción entre los componentes y la superficie contenedora. Un estanque de grandes dimensiones no guarda las proporciones ideales en un jardín de superficie muy pequeña; y en un jardín muy grande no es armónico un pequeño estanque. Del mismo modo, un contenedor pequeño no está proporcionado con plantas muy grandes, ni a la inversa.

En un espacio pequeño, pueden integrarse plantas acuáticas constituyendo una composición naturalista, con Iris pseudocorus, Iris laevigata, Mentha aquatica, Aponogeton distachyus y macetas en derredor con plantas que se integren al conjunto e imprimen un aspecto armónico.

En un estanque muy pequeño, una buena escultura y un lugar con agua y pocas plantas como Azolla, Salvinia o Lemna logran crear un ambiente especial.

Todos los elementos intervinientes en la composición de una cascada, estanque o fuente, deben estar en proporción con el jardín y con la composición acuática. Los materiales elegidos para la construcción del estanque, como, por ejemplo, las piedras para las caídas o los escalones y las que forman la parte básica de la estructura, deben tener el mismo origen, tal como ocurre en la naturaleza.

Nymphoides humboldtiana *en tinaja.*

Pequeño estanque con pico burbujeante y bomba de agua de campo en un jardín urbano.

Hydrocleis nymphoides. *Macetero de material.*

Arroyo seco con piedras. Composición de influencia japonesa.

Macetero de vidrio con camalotes.

Lagos artificiales e islotes en Nordelta (Tigre). Obra de Water life.

Por eso, no es conveniente realizar una exposición de cosas distintas, ni incorporar un elemento demasiado exótico y fuera del hábitat en un lugar silvestre y sencillo, porque la composición quedará como "encajada", fuera de lugar y chocante. El modelo que se va a proyectar debe guardar una unidad con todo el conjunto del jardín, en relación con las plantas, materiales, estilo, disposición en el lugar, etc.
Asimismo, se debe tratar de no combinar plantas de crecimiento lento con otras de crecimiento rápido en la plantación del borde y en el entorno. Tampoco, plantas que se hielan, con plantas rústicas.

Proyecto de un jardín acuático

Lo primero que se debe realizar es un croquis del terreno que contiene el jardín. Este puede ser un dibujo muy prolijo, pero nunca será exacto, por lo tanto luego se aconseja la realización de un plano. Este constituye un dibujo a escala del terreno, mostrando su forma y tamaño proporcionados. En cualquier obra es importante tener un plano donde se vuelquen todas las ideas, pulidas varias veces, para poder así observar los detalles.
Para insertar un proyecto de estanque dentro de la superficie libre de un parque o de un jardín, habrá que obtener las medidas correspondientes del terreno para poder determinar su ubicación y decidir si el estanque será pequeño o de mayor tamaño. Para ello, se comienza con el relevamiento del lugar.

Paso a paso

1. Relevamiento del lugar

- **Medición del perímetro.**
  Con la ayuda de una cinta métrica, cuya longitud depende del tamaño del terreno, se realiza la medición del perímetro, tomando un punto de salida y siguiendo el movimiento de las agujas del reloj. Con lápiz y papel cuadriculado se realiza el croquis, otorgándole al terreno la forma en que lo visualizamos.

  - Se comienza por uno de los vértices y se denomina con la letra A a este punto inicial.
  - Luego, la cinta se extiende hasta B, y de B hasta C; después a C y a D.
  - Así, de D se traza hasta A.

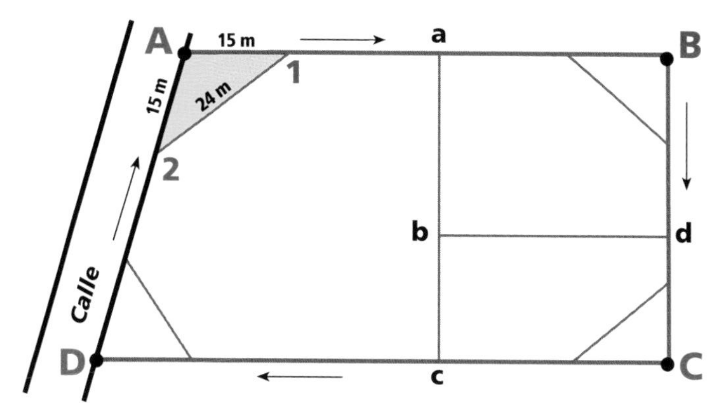

Perímetro de un terreno de forma rectangular.

El perímetro es la sumatoria de A_B más B_C más C_D más D_A.

- **Demarcación de los ángulos.**

  Una vez determinado el perímetro, hay que determinar los ángulos.

  - Se toma igual medida a ambos lados de cada vértice (5 ó 10 m, por ejemplo), y se obtienen los puntos 1 y 2; se unen y se forma el triángulo A_1 - 1_2 - 2_A.
  - De esta manera, se determinan los cuatro vértices.

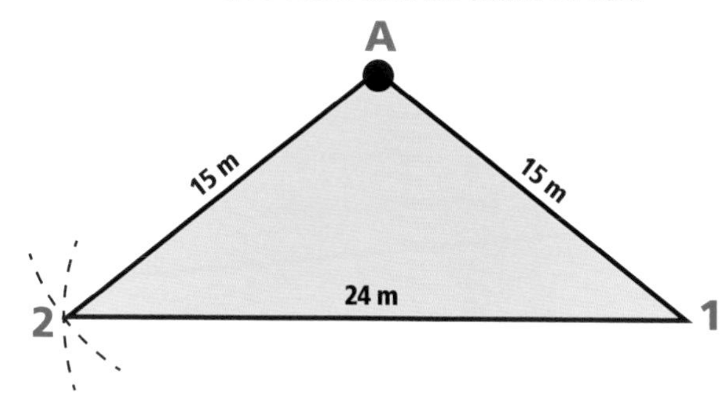

A ambos lados del vértice se toma una medida convencional: 5 m, 10 m, 15 m, etc.

Detalle de la marcación del ángulo, abertura y estacas.

- **Ubicación de un elemento en el terreno.**

Método de la triangulación

Esta tarea se realiza con la cinta métrica de longitud acorde al tamaño del terreno. Para lugares chicos, bastará una cinta de 10 m de largo; para lugares grandes, una de 25 ó 50 m. Por ejemplo, si deseamos ubicar un árbol en el jardín, se toman dos medidas desde el árbol en cuestión hasta dos puntos distintos de un elemento fijo (pueden ser los vértices de la pared de la casa) y se forma un triángulo con la unión de los dos puntos y el árbol.

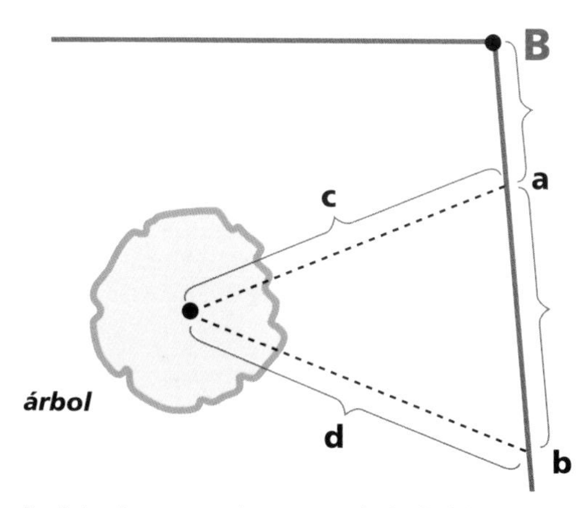

Ubicación de los elementos en el terreno por el método de la triangulación. El triángulo formado por los lados c, d y a-b ubican el árbol en el terreno.

Método de las ordenadas

Consiste en tomar dos medidas perpendiculares, cada una hacia dos puntos diferentes, que pueden ser dos muros o paredes. En el cruce se ubica el elemento.
Los puntos de referencia pueden ser una construcción fija, un alambrado en buen estado, entre otros. En el cruce entre ambas mediciones, se encuentra el elemento que deseamos ubicar en el terreno.

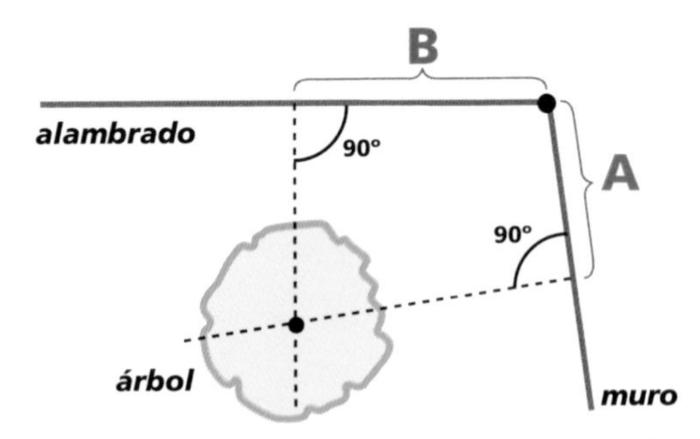

Ubicación de los elementos en el terreno por el método de las ordenadas. ***A:*** *por ejemplo, 5 metros. /* ***B:*** *por ejemplo, 6 metros.*

2. Elaboración del plano

- **Elección de la escala adecuada**

  Una vez realizado el relevamiento, se pasan los datos a un papel borrador con la escala adecuada.
  La escala a usar debe ser la más simple, por ejemplo 1:25 ó 1:50, es decir 1 cm del papel equivale a 25 cm del terreno (escala 1:25), o 1 cm del papel equivale a 50 cm del terreno (escala 1:50).
  La escala 1:25 se utiliza en planos en los que es necesario visualizar perfectamente los detalles (plantas, formas, grupos, obras escultóricas, adornos, etc.).
  Para incluir el estanque en el croquis de un jardín de mediana superficie, la escala a usar es 1:100 (1 cm sobre la regla representa 100 cm sobre el terreno). Para pequeños espacios, la escala sería de 1:50. Cuando se trata de un parque de 1 ó 2 ha (10.000 a 20.000 m^2), la escala adecuada es 1:200 (1 cm del papel corresponde a 200 cm del terreno).

- **Análisis previo**

  Se deben estudiar las proyecciones de sombra sobre el lugar del futuro estanque, en distintos momentos del día. Se marcan las zonas de sol y sombra, mediante un rayado con lápiz de color o con fibra, en papel transparente borrador, sobre el croquis que hemos obtenido anteriormente. Se calca, ubicando el estanque en el lugar elegido. Asimismo, se marca la ubicación del Norte.

- **Volcar las ideas**

  En el croquis borrador o boceto se marcan las ideas con lápices de colores o fibras.

- Se marcan las visuales de los alrededores, la arboleda, las parquizaciones, etc.
- Se elige la forma del jardín de acuáticas: si va a ser irregular o apaisado; cuadrangular, rectangular o circular; si estará al ras del suelo o sobreelevado, a unos 30 ó 40 cm, según el estilo general del jardín y de la casa.
- Se seleccionan las plantas de los alrededores, las del estanque, la de los bordes, etc.
- Se determinan los materiales de construcción (piedras, tipos de bombas, tipo de desagüe). Los componentes deben guardar una unidad de criterio con el resto del jardín. Se debe evitar un muestrario de estilos y materiales.
- Se arma la composición teniendo en cuenta: profundidad de plantación; plantas flotantes, sumergidas y palustres; alturas, texturas, forma y color de las plantas; se las ubica según sus exigencias.
- También se define el entorno o marco de plantación para el estanque.
- Se lleva el proyecto al lugar de realización y se procede a reajustar lo proyectado. Sobre el mismo terreno, se realizan observaciones.
- Una vez ajustados todos los detalles, el croquis borrador se pasa en limpio, en tinta o en lápiz, y se realiza el plano definitivo.

Croquis de un jardín con estanque (ideas preliminares)

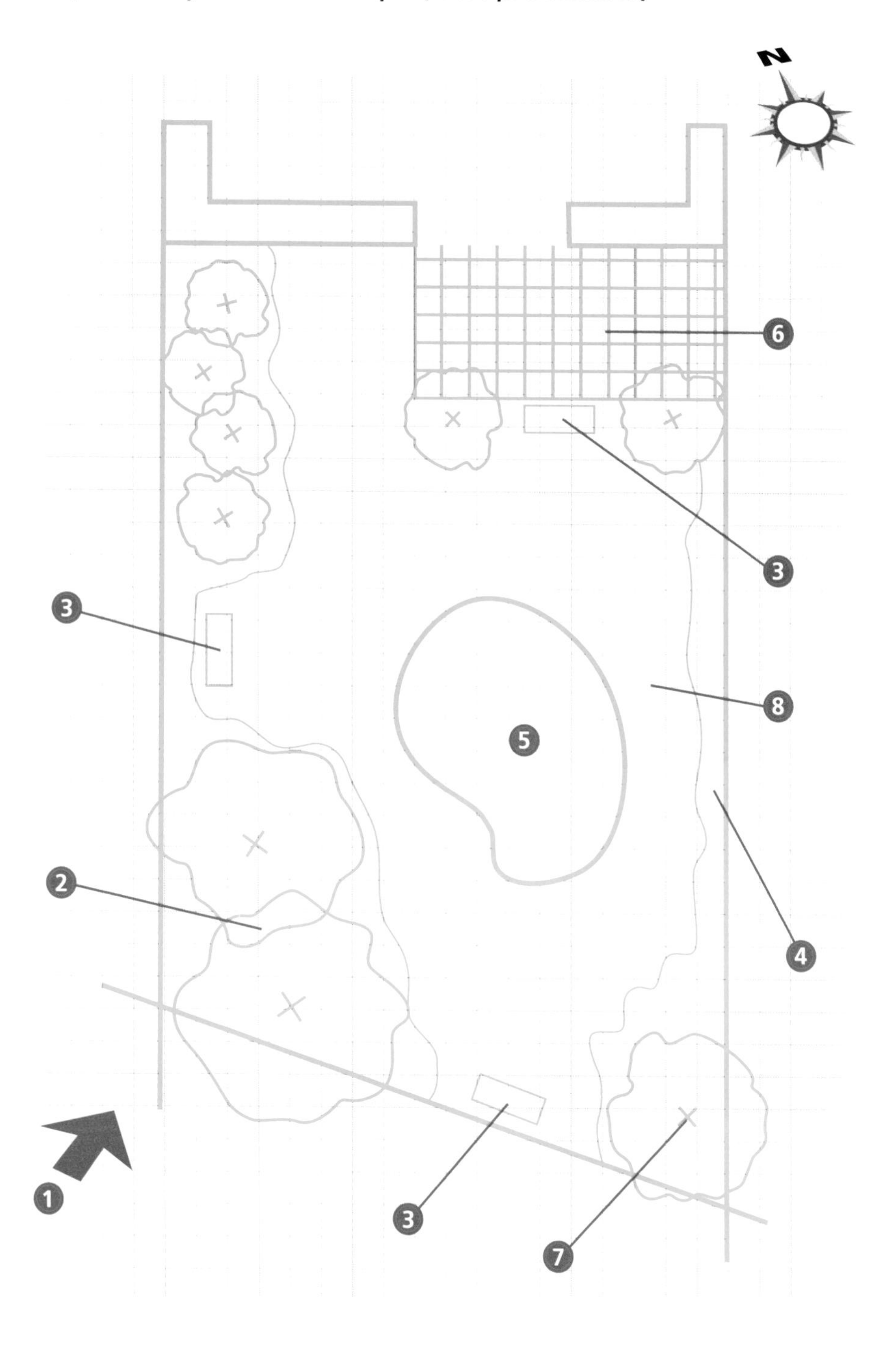

Referencias

1. Zona de vientos fuertes.

2. Masa de árboles de follaje persistente para proteger de los viento.

3. Bancos de jardín.

4. Bordura herbácea.

5. Estanque.

6. Pérgola.

7. Árboles caducos.

8. Lugar bajo del jardín.

Plano definitivo de un proyecto de estanque con acuáticas

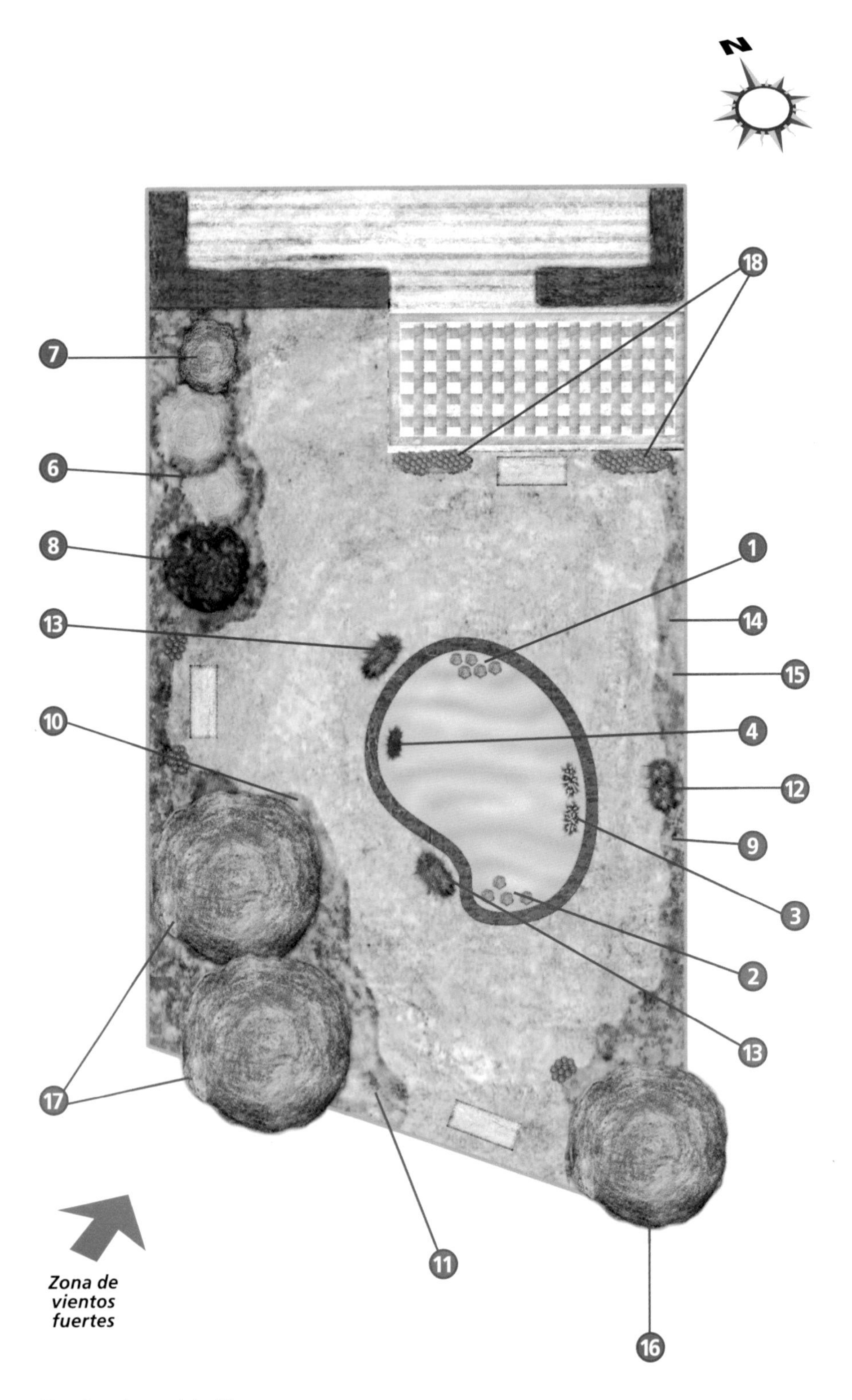

Ver referencias en página 61.

Referencias del plano

N.°	Nombre común	Nombre común	Observaciones
1	Nymphaea alba	Nenúfar	Floración blanca, en primavera.
2	Pontederia cordata	Pontederia	Floración celeste, en verano.
3	Elodea densa	Elodea	Planta sumergida oxigenadora.
4	Ceratophillum demersum	Cola de zorro	Planta sumergida oxigenadora.
5	Acorus gramineus	Acorus	Mata de follaje fino.
6	Miscanthus sinensis	Eulalia	Gramínea verde brillante de gran desarrollo foliar.
7	Miscanthus sinensis var. aurea	Eulalia dorada	Gramínea de follaje atractivo verde y amarillo.
8	Zantedeschia aethiopica	Cala blanca	Planta de hojas sagitadas, verde oscuro; floración blanca en verano.
9	Canna coccinea	Achira	Planta vigorosa; floración en verano; distintos híbridos y colores.
10	Houttuynia cordata variegada	Camaleón	Herbácea de llamativa coloración en sus hojas y de baja altura.
11	Ruellia britoniana	Ruellia	Herbácea, de flores azules y amarillas, que se extiende como mata.
12	Iris pseudocorus	Iris	Hojas acintadas, florece en primavera con flores amarillas.
13	Cyperus papyrus	Papiro del Nilo o papiro de Egipto	Herbácea muy llamativa de follaje muy fino verde claro.
14	C. altermifolios	Paragüitas	Matas de follaje lineal duro de color verde oscuro.
15	Hedychium coronarium	Caña de ámbar	Mata de hojas acintadas de floración blanca. Perfumado en primavera
16	Taxodium distichum	Ciprés de los pantanos	Conífera de follaje fino y cambiante al rojo en otoño.
17	Ligustrum lucidum	Ligustro	Arbolito fuerte y denso; follaje verde oscuro.
18	Bignonia capensis	Bignonia	Enredadera de flor naranja a fines de invierno.

3. Construcción del estanque

Los estanques pueden ser tanto informales o paisajistas, como formales y geométricos. Dentro de ambas categorías pueden construirse tanto rectangulares, circulares, oblongos, cuadrados o hexagonales. Asimismo, tendrán líneas libres, curvas apaisadas, más blandas, etc. Las características que diferencian a cada tipo y los materiales con los que se construyen, serán especificados en detalle en el capítulo siguiente.

Cantero bordeado de iris en un estanque pequeño.

Caña de ámbar (Hedychium coronarium). *Vivero Panambí.*

Estanque paisajista recargado con esculturas. Water Life.

Mata de iris amarillo (Iris pseudocorus). *Vivero Panambí.*

Cancha de golf. Water Life.

Estanque con borde de ladrillos. UBA.

Estanque paisajista de hormigón armado. Nordelta (Tigre). Water life.

Estanque con borde irregular de rocas. Paseo público.

Estanque de PVC. Fac. de Agronomía UBA.

Entorno de gramíneas y palmeras para un estanque natural en el Nordelta (Tigre). Water Life.

Estanque natural de forma pentagonal con bordes de troncos. Vivero Panambí.

Sendero de canto rodado que desemboca en un estanque. Paseo público.

Fuente circular con chorros perimetrales. Water Life.

Espejo de agua a nivel del suelo en un paseo público.

Detalle de fuente con distintos platos y caídas de agua.

Mascarón de piedra sobre muro y caída de agua. Water life.

Diseño geométrico moderno con agua y luces, en una galería comercial.

Diseño geométrico de un paseo público (Francia) en donde varios senderos convergen en una fuente central de piedra.

Fuente central del Rosedal de Palermo, Ciudad de Buenos Aires. Diseño geométrico, parterres de rosas.

Complementos para el diseño

Decks

Comprenden los lugares que sirven de intermediarios entre los sitios de estar y el jardín. Son de piso de listones de madera dura y permiten reuniones en un lugar seco, donde se puede colocar sillas, mesas, etc. Desde aquí, es posible observar el jardín sin la humedad y el barro que rodean el estanque.

Deck de madera dura, conformando un área de transición entre el espacio acuático y el resto del jardín. Water Life.

Iluminación

Existen en el mercado diferentes tipos de iluminación, como focos y juegos de spots, que iluminan jardines y estanques acuáticos con su luz artificial y permiten disfrutar de su vista durante un paseo nocturno.

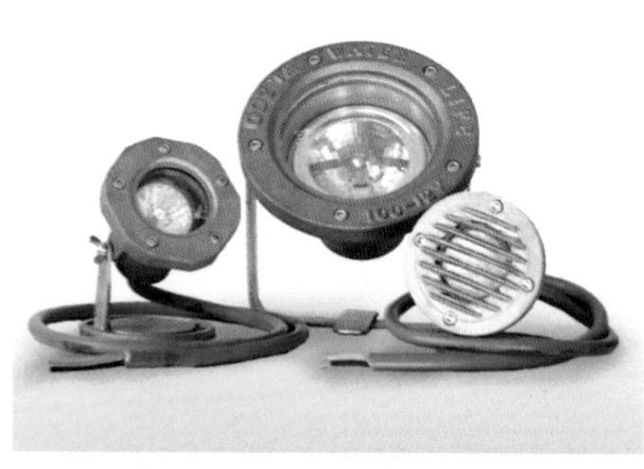

Spots para iluminación nocturna de estanques y jardines.

Iluminación con spots en un gimnasio. Martinez. Water Life.

Contenedores y piezas de agua

Son recursos para crear un pequeño jardín acuático y pueden ser de distintos materiales: cerámica, tinajas de barro, contenedores tipo tanque australiano de dimensiones reducidas (1 a 2 m de diámetro), barriles de madera de la industria vitivinícola, etc.

Macetero con camalotes. Vivero Panambí.

Barril de madera con plantas acuáticas. Vivero Panambí.

Accesorios

Las esculturas con figuras humanas, niños, ángeles, etc. solían acompañar las obras acuáticas de los jardines geométricos en la jardinería clásica. Áctualmente, se recurre más a los trabajos de estilo no figurativo.

Estilo figurativo; figura de niño para acompañar una composición acuática.

Pez que emite chorros de agua dentro o junto a los estanques. Water life.

Sapo, que semeja ser metálico, y que se usa para emitir chorros de agua en estanques geométricos. Water life.

Jardín paisajista oriental

Este estilo de jardín se caracteriza por un predominio de lo simbólico sobre lo espontáneo. A la hora de diseñar los puntos fundamentales para su creación son el agua, las piedras y las plantas.
El agua aparece en un estanque de formas irregulares, también deslizándose entre las piedras, con caídas y saltos de una cascada. Este diseño representa la fuente de la vida. Las piedras de distinta forma, tamaño y alturas simbolizan las montañas y las jerarquías en la vida.

Distintas formas que adoptan las piedras en el paisajismo japonés.

Es un jardín asimétrico, armónico, equilibrado, con un estudioso análisis de los materiales naturales y del funcionamiento de la comunicación del jardín. Es simple, directo, sencillo, de líneas curvas, creando siempre lugares para sorprender al paseante, rincones para la meditación, la tranquilidad y la observación de la flora y la fauna.
Hay muchas clases de jardines japoneses: los familiares, que suelen ser pequeños, los de las casas de té, los jardines imperiales, los llanos, los chatos y los desérticos; pero siempre, de una u otra forma, está presente el agua.
Puede ser cayendo desde una caña hacia el cuenco de una piedra (chozubachi) en los jardines pequeños, o inmensos lagos artificiales en los jardines imperiales. En los llamados "desérticos" o "llanos", el agua está marcada por surcos trazados en ondas en el plano de gravilla fina, en el molido de mármol o en otros materiales que simbolizan la llegada del agua a una playa, junto a una piedra importante o fundamental.

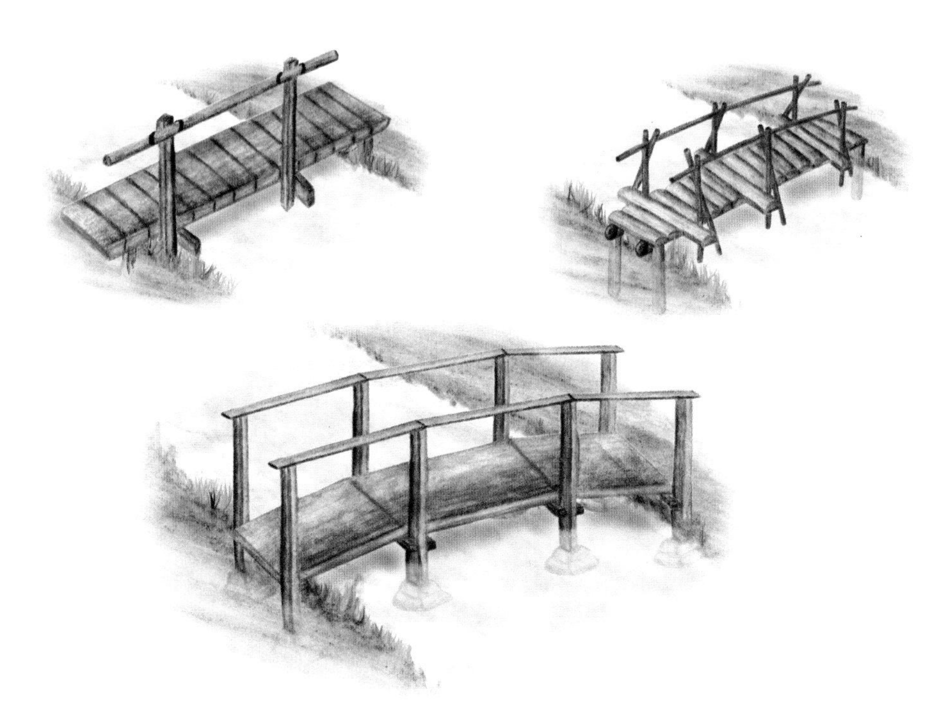

Distintos estilos de puentes acompañando el diseño de un estanque de estilo paisajista oriental.

CAPÍTULO 4

Estanques: materiales y construcción

Capítulo 4 Estanques: materiales y construcción

Los estanques son piezas de distinta forma y tamaño, que contienen agua y plantas; pueden incluir también vida acuática, como peces, tortugas de agua y otros. Su diseño debe armonizar con el resto del jardín y con el estilo de la casa.

Desde la época de la jardinería clásica hasta el presente, el jardín acuático ha evolucionado en forma considerable. Antiguamente, los jardines acuáticos se utilizaban en los diseños clásicos de estanques geométricos, pero hoy en día, con el avance de lo natural hasta en la vida diaria laboral, se han incorporado diseños acuáticos muy novedosos para la decoración de restaurantes, lugares de descanso, clínicas médicas o de estética, diversos comercios, etc. Ciertos países, como España por ejemplo, se destacan en la incorporación de juegos de agua y fuentes en los espacios verdes públicos. Desde 1972 hasta 1975, por iniciativa de la entonces Intendencia de la Ciudad de Buenos Aires, llegó a la Argentina, procedente de Madrid, una serie de fuentes con platos y cascadas que se incorporaron a los paseos públicos como la Plaza Campaña del Desierto en Palermo, las fuentes de la avenida 9 de Julio, las fuentes del Parque de la Ciudad en Villa Lugano, entre otros. Pero, por falta de mantenimiento, muchas de ellas están sin uso.

Materiales

Los estanques pueden estar fabricados con distintos materiales como plásticos, fibra de vidrio y hormigón; o ser naturales, como es el caso de las grandes extensiones de terreno, cuando se construyen lagos artificiales.
Los que se realizan con materiales rígidos como PVC aceleran y simplifican las tareas de instalación, pues con sólo realizar una excavación y colocar la estructura, ya están listos. Los materiales blandos, como los mantos de nailon negro, de grosores que van de 200 a 500 micrones, pueden servir para estanques grandes, tipo naturalistas, que se instalan en espacios mayores, pero requieren más trabajo. Asimismo, se utilizan paredes de mampostería, estructuras de hormigón armado —de larga vida y mayor costo— y simples y pequeños contenedores como una vasija o un macetón grande para patios y jardines reducidos.

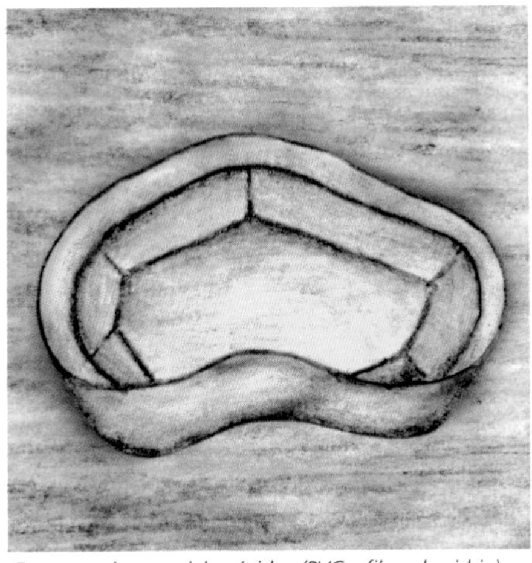

Estanque de materiales rígidos (PVC y fibra de vidrio).

Estanque sobreelevado construido con ladrillos.

Características y costo de los materiales

Material	Características	Costo
Tierra gredosa, arcillosa	En suelos bajos puede servir para crear lagos artificiales; en lugares extensos, campos o quintas, requiere mucha mano de obra por las malezas que invaden el espacio y la compactación que hay que hacerle al suelo para que el agua no se infiltre rápidamente en la base; para eso se usa una mezcla de tierra arcillosa con cemento que se adhiere con un pisón, para lograr un piso más o menos impermeable, dejando el estanque vacío un tiempo, antes de llenarlo.	Reducido.
Manto de polietileno negro	Ideal para estanques en lugares reducidos. Requiere trabajo de desmalezado previo. El espesor del manto plástico debe ser de 500 micrones, porque de lo contrario, la lámina se romperá en poco tiempo con el uso, por pinchaduras, enganches de raíces, etc. Se debe colocar sobre piso uniforme, limpio, sin piedras. El suelo se compacta bien y se coloca arena por encima, papel u otro elemento que deje el piso liso, libre de la presencia de partículas erosivas. Este sistema se adapta a distintas formas y tamaños.	Medianamente bajo.
Fibra de vidrio o poliéster inyectado sobre cubetas	Es un material de poliéster que se inyecta sobre los moldes tanto de estanques como de figuras ornamentales. Es muy liviano y se le puede dar color y formas diferentes.	Costoso.
Hormigón armado	Para estanques geométricos y paisajistas, en lugares reducidos o grandes. Es la mejor inversión a largo plazo.	Muy costoso, requiere mano de obra especializada.
Plásticos reforzados (PVC)	De 1,40 m de ancho y el largo necesario; tiene 4 mm de espesor o más. Es un material flexible. Se pega con soldadura química para obtener la medida deseada. Se usa para lugares grandes o pequeños.	Más costoso que el polietileno negro.
Película de goma butílica	Para lugares grandes o pequeños. No se utiliza actualmente en la Argentina.	Muy costoso.
Geotextil	Manto de tela gruesa de 4 mm de espesor que reemplaza a la arena para apoyar el estanque de material plástico rígido.	Medianamente costoso.

Materiales para los bordes del estanque

Materiales	Aplicaciones
Piedras trabajadas en forma octogonal	Bordes del estanque y para el soldado de alrededor en estanques geométricos.
Piedras naturales (laja de Mar del Plata, etc.)	Bordes en estanques paisajistas naturales.
Concreto, trabajado con distintas formas geométricas	Bordes del estanque y alrededores.
Ladrillos de máquina seleccionados	Bordes del estanque y piso del entorno.
Mosaicos con dibujos y/o colores decorativos	Bordes del estanque y paredes en los sobreelevados con respecto al nivel del piso; también en estanques de diseño geométrico, estilo español.
Losetas de cemento para los diseños geométricos	Bordes y entorno del estanque.
Troncos cortados de madera dura	Bordes de estanques naturalistas o paisajistas.
Guijarros, canto rodado	Bordes de estanques naturalistas o paisajistas.

Materiales para los bordes del estanque.

Duración de los materiales

Material	Características	Duración
Manto de polietileno negro	Resistente a heladas y rayos ultravioletas. Se vende en rollos.	Poco durable, el de 200 micrones de espesor se rompe más fácilmente que el de 500.Poco durable: 1 año.
Hormigón armado	Formación del encofrado de la pieza de agua.	Muy durable: toda la vida del estanque.
Fibra de vidrio	Se utiliza para estanques prefabricados.	Durable: de 10 a 15 años.
Goma butílica	Recubrimiento de paredes y fondo de la pieza de agua.	Muy durable: 25 años o más.
Arena	Para formar el lecho liso sobre el cual se asienta un estanque prefabricado.	Muy durable debido al cuarzo que la constituye. Inalterable frente a ácidos y agua.
PVC, prefabricados	Formas y estilos diversos.	Durable, si es bien colocado.
Geotextil	Semejante a una tela gruesa mullida.	Durable, si tiene muy buenas condiciones de aplicación.
Guijarros, cantos rodados, rocas	Materiales naturales que se extraen de los lechos de los ríos.	Muy durables si tienen cuarzo en su constitución.

Mezclas para unir componentes

Se utilizan para fusionar ladrillos, piedras y lajas entre sí; y para formar la estructura de la cascada, los escalones, las caídas, los bordes, etc. A estas mezclas se las denomina "morteros". Los materiales básicos que se usan son arena, cal y cemento. Para la preparación del hormigón armado en la construcción de las estructuras se emplea canto rodado, leca, balasto, grava, arena gruesa, entre otros elementos.

Azulejos que se aplican en los estanques como complemento ornamental, formando dibujos geométricos.

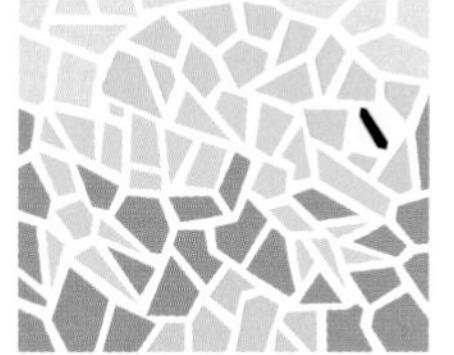
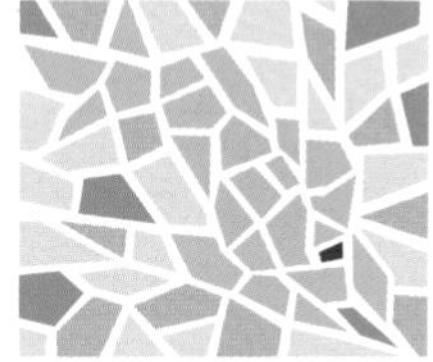

Mosaicos de distintos modelos, formando flores, ondas, dibujos, etc.

Morteros

Proporciones de los componentes	
Denominación	**Componentes**
Mortero o mezcla para albañilería*	Arena fina, cemento, agua y un poco de cal para dar plasticidad.
Mortero N.° 1	1 parte de cemento pórtland; ½ de cal hidratada; 4 partes de arena.
Hormigón armado	Para el hormigón armado se agrega grava.
Mortero N.° 2	1 parte de cemento Pórtland; cal hidratada, 6 partes de arena.

**El cemento que se utiliza para la construcción de estanques posee calcáreo, que es tóxico para las plantas y los peces. Por ello, una vez colocado, se deberá proceder a un tratamiento de lavado, que consiste en llenar el estanque, sin plantas ni peces, con agua, dejarla durante varios días (10 a 15), cambiándola periódicamente, a fin de reducir la cantidad de calcáreo.*

Construcción

Como ya se mencionó en el capítulo anterior, los estanques pueden construirse siguiendo un diseño informal o paisajista, o bajo características formales y geométricas.

- **Estanque informal o paisajista**
  Implica un trazado suave, ondulante. El perímetro del estanque presenta curvas, saliencias, etc. Es un estanque de formas irregulares donde se priorizan las plantas y el paisaje, y se trata el lugar como si fuera una laguna natural. Estos estanques requieren para su expresión un espacio considerablemente mayor que el que se necesita para uno de estilo geométrico.
  Hay diversas formas de contruir un estanque informal o paisajista. Se puede aprovechar la naturaleza del terreno (arcilloso, impermeable, etc.) para utilizar como jardín acuático. También se pueden aplicar formas artificiales de PVC rígido, que se colocan en el terreno, previa excavación.

Estanque informal o paisajista de una casa particular en el Nordelta. Water Life.

- **Estanque formal o geométrico**
  Se caracteriza por sus líneas rectas formando figuras geométricas como la del cuadrado, el rectángulo o el círculo. Implica idea o sensación de orden, rigidez, disciplina y jerarquía. Son diseños típicos de la jardinería clásica. Es muy apropiado para jardines de poca superficie, patios, edificios públicos, exposiciones, como acompañamiento de obras de arte, esculturas, etc.
  Los materiales para estos estanques pueden ser: piedra, loseta, PVC, hormigón, etc.

Estanque con revestimiento de PVC

Paso a paso

A. Se deberá colocar la carcasa en el lugar elegido.

B. Luego, marcar con un elemento flexible (manguera) o también con una cuerda o soga, todo el contorno.

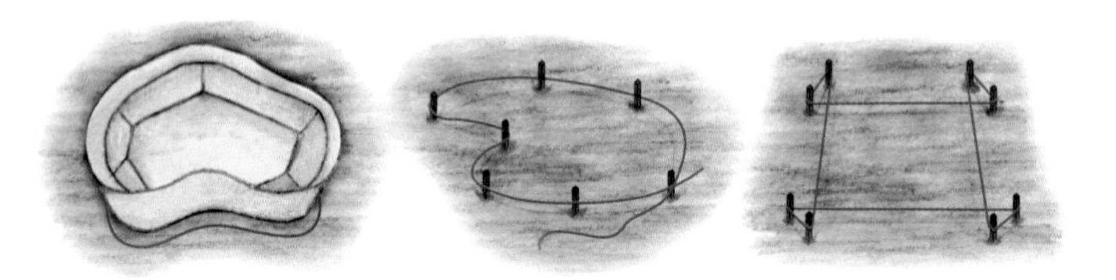

Marcado en el terreno de distintos tipos de estanques.

C. Se excava el suelo de manera escalonada; lo más profundo a 50 ó 60 cm, luego 40 cm y finalmente 20 cm de profundidad. Por último, se realiza el borde.

D. Se forra el pozo excavado con un manto de plástico flexible de 500 micrones de espesor. Se calcula: la longitud máxima del estanque más 2 veces la profundidad máxima; la anchura máxima del estanque más el doble de la profundidad máxima.

E. Se apoya el manto plástico sobre la superficie limpia, uniforme y lisa, a la que se le distribuye arena en una capa de 3 a 4 cm o se coloca un manto de geotextil para obtener un terreno sin promontorios.

F. Se alisa bien el revestimiento y se colocan pesos encima (por ejemplo, arena).

G. Se llena con agua.

H. Se cubren los bordes con tierra arcillosa, canto rodado o piedras graníticas.

I. Se colocan las plantas en el borde, en el primer escalón (20 cm de profundidad) y en el interior (macetas, contenedores, etc.) sobre el fondo y a una profundidad de 40 cm sobre una capa de arena y tierra de 5 a 8 cm de espesor. En el entorno, se puede crear una composición de cañas de bambú, gramíneas, entre otras plantas.

Estanque de material (albañilería)

Los estanques de material son más costosos, pero duran mucho más; se necesita mano de obra calificada y se prepara la estructura con malla de alambre y hormigón armado.

Paso a paso

A. Luego de realizar la excavación se coloca la malla tipo CIMA de hierro con agujeros de 15 x 15 mm.

C. Se prepara el encofrado de madera para formar la estructura de la pieza de agua.

D. Se carga con el hormigón, que se preparó con arena más cemento, sin cal.

E. Una vez fraguado, se retira el encofrado y se coloca una carpeta impermeabilizadora.

G. Se termina el borde con piedras naturales y se llena con agua.

Estanque natural

Paso a paso

A. Se excava la tierra unos 80 cm en un terreno adecuado, de suelo arcilloso.

B. Se apisona el suelo del fondo de la excavación y se incorpora una mezcla de cemento, arcilla y agua (suelo cemento).

C. Se alisa y se deja secar. Luego se llena con agua.

Fuentes y juegos de agua

Las fuentes son piezas muy utilizadas en la jardinería clásica, geométrica o formal, y se colocan al frente de un parterre o dentro del mismo, marcando los puntos de observación importantes dentro del diseño del parque o del jardín.
Crean un efecto de orden y quietud, a la vez que aportan el sonido del agua, y pueden llegar a ofrecer la escena tan agradable de pájaros bebiendo o bañándose.
Se construyen con distintos materiales, como, por ejemplo, piedra reconstituida, polvo de mármol, arcilla expandida, cemento seleccionado, marmolina, cuarzo, etc. Estos elementos, en sus diversos estilos, incorporan gran jerarquía a cualquier diseño.
Las fuentes llevan una bomba de recirculación del agua y pueden estar en movimiento continuo o no, según el fabricante.
Estos elementos arquitectónicos requieren de un trabajo de caja de madera armada para volcar luego el hormigón. Es necesario, en todos estos casos, la intervención de mano de obra especializada en fontanería, albañilería y técnicos en bombas y filtros.

Fuente, símil mármol, con platos que derraman el agua desde el pico superior. Water life.

Composición romántica con niños bajo el amparo de un paraguas en un día de lluvia. Water life.

Fuente artística que combina figuras humanas. Water life.

Fuente baja de piedra con un importante chorro central. Water life.

Picos de distinta clase en una fuente. Water life.

Las máscaras de pared pueden representar figuras como leones, peces o dragones y se colocan en el patio o en un jardín de dimensiones reducidas. Trabajan con una bomba pequeña para recircular el agua y tienen una cañería conductora que va por la pared. Por lo general, el agua es recibida en un cuenco de piedra sobre el suelo o directamente en el estanque.

Distintos diseños de máscaras.

Máscara de pared con la figura de un león que expele agua por la boca y cae sobre platos que rebalsan el líquido hacia un cuenco de piedra.

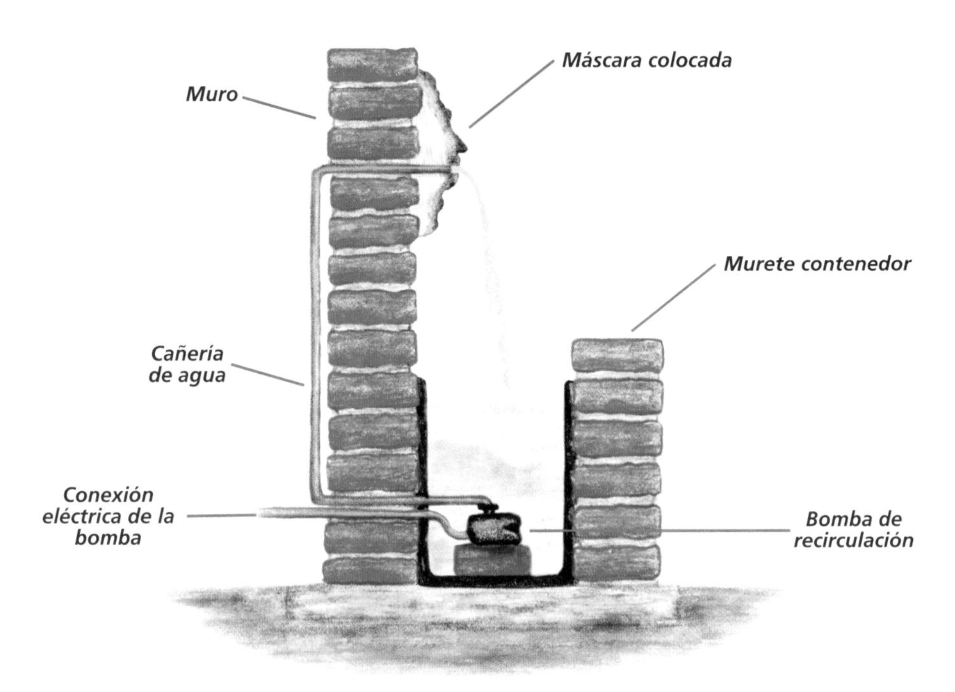

Corte de la pared, mostrando la instalación de la bomba de recirculación del agua, las cañerías y la máscara.

Ciber fuentes

Se trata de ejemplares sincronizados debido a la aplicación de la informática. Tanto el agua como el movimiento, la luz y el sonido están manejados a distancia mediante computadoras. Esto permite realizar juegos de agua lineales o en círculo, y trabajar en simultáneo con sonido y luz, entre otras cosas. Son diseños especiales para espectáculos nocturnos o diurnos, para colocar en restaurantes, comercios, hoteles o paseos públicos.

Estanque sobreelevado con apliques laterales de spots de iluminación para una obra comercial en una heladería. Barrio céntrico, Ciudad de Buenos Aires.

Fuente en cubo de vidrio, con agua que fluye sobre las paredes laterales y se desliza hacia la base de piedras (canto rodado).

Elementos para la construcción de fuentes

Picos o boquillas

Estos elementos se utilizan para la emisión del agua. Existen distintos modelos, en su mayoría de bronce, y son piezas muy bien torneadas y pesadas. Pueden ser de un solo pico o chorro, o poseer dispositivos de picos múltiples. Algunos ofrecen efectos de "agua nieve", pues el agua es espumosa y blanca, y en vez de emitir un chorro, producen una columna burbujeante color blanco, de apariencia compacta.

Los picos tienen formas variadas, pueden semejar un cáliz de flor invertido o el sombrero de un hongo; presentan caída de agua en forma de campana hacia abajo, cerrada, con las caras lisas y transparentes, o un chorro único alto que culmina en un burbujeo antes de caer. También se utilizan los picos ensamblados en pies de fibra de vidrio que son importados, muy livianos y con la forma de un sapo u otras figuras.

Distintos modelos y tamaños de picos; grandes para las fuentes importantes y pequeños para una fuente de mesa. Water life.

Boquilla oxigenadora. Modelo chato de espátula. Water life.

Distintos tipos de picos y boquillas para aguas danzantes. Water life.

Picos de agua que producen un burbujeo intenso, efecto denominado "agua nieve". Se usan como oxigenadores del agua. Water Life.

Picos para la producción de "agua nieve" con efecto de remolino y espuma blanca de acción oxigenadora. Water life.

Pie de fibra de vidrio muy liviano, con aspecto pétreo, para sostener el pico de una fuente. Water life.

Pico con forma de hongo y caída cerrada de agua hacia abajo. Water life.

Pico con forma de cáliz de flor invertido, que le da un aspecto muy ornamental. Water life.

Accesorio flotante para incorporar un chorro central con efecto abierto en links de golf. Pacheco, Pcia de Buenos Aires, Water life.

Bombas

Para la recirculación del agua en fuentes, cascadas y estanques se pueden usar tanto bombas de eje horizontal como de eje vertical. Las bombas sumergibles para fuentes tienen capacidad variable, hay desde bombas para 500 litros de agua hasta las que mueven 14.000 litros. Por lo general, las bombas más grandes tienen protección térmica, son de acero inoxidable y sin flotantes. Respecto de la potencia, aquellas que tienen conexión a tierra presentan una tensión de 220 voltios y 50 herz. Para fuentes de poco caudal, se usan bombas sumergibles de 12 voltios. La instalación de un equipo de bomba y cañerías debe ser motivo de análisis por parte de un técnico especializado, pues requiere máxima seguridad, dadas las demandas de este trabajo.

Distintos tamaños de bombas. Pequeñas para fuentes de escritorio y mayores para fuentes más grandes. Water life.

Funcionamiento de una bomba

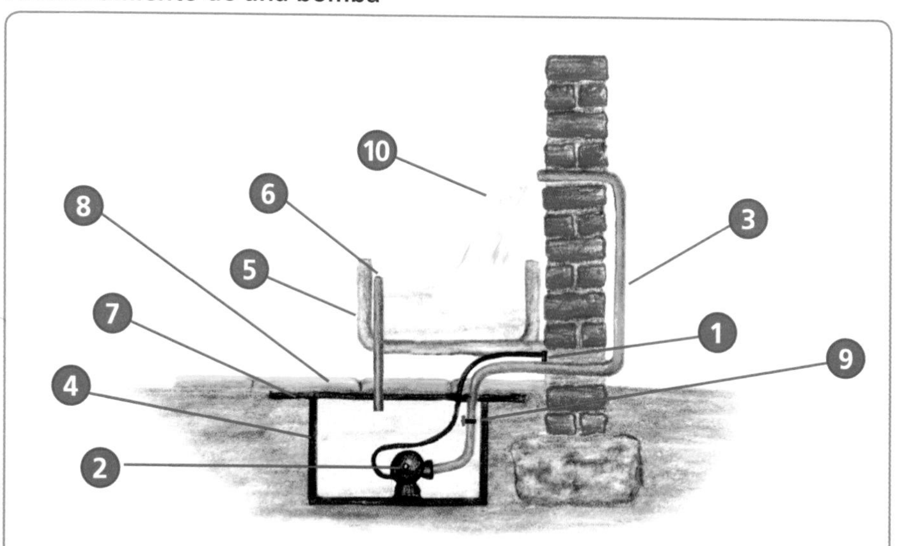

La cañería (3) se esconde o disimula por detrás del muro. El chorro de agua (10) cae al recipiente (5) y un tubo de rebosamiento (6) controla el llenado del mismo. La bomba de recirculación (2) se encuentra alojada en un compartimiento de material bajo tierra, cubierta por una tapa de piedra (7), que disimula su ubicación y puede ser levantada para reparaciones. La bomba está conectada a la electricidad por un cable, con ficha (1) en la mampostería del muro. La función de la bomba es succionar el agua del contenedor (4), elevarla hacia la parte superior del muro, desde donde cae con un chorro hacia abajo (10) y así continuamente. Esta puede trabajar un tiempo determinado según las indicaciones del fabricante. Un borde de losas corona la terminación de todo el trabajo (8). Una válvula de control (9) permite regular el flujo del agua.

Filtros

Un estanque puede llevar filtros o no, pues si se mantiene una vegetación adecuada, las plantas hacen el trabajo del filtro, mediante la extensión de sus raíces, su poder de absorción del agua y de los elementos disueltos.
Un sistema de filtración puede ser de tipo mecánico o biológico. El sistema mecánico es el conjunto de elementos que posibilita mantener el estado óptimo del estanque y volver a clarificar el agua, eliminando materias sólidas, trozos de plantas, residuos varios, etc. Esta filtración se basa en el uso de una malla plástica, una esponja sintética o un material de perlón para capturar los residuos.
La filtración biológica transforma las sustancias nocivas para los peces y las plantas en productos inocuos. Se produce un proceso de adherencia de las bacterias en el filtro esponjoso, que se antepone a la conexión con la bomba accionada por un motor eléctrico. Las bacterias nitrificantes realizan la filtración biológica, ya que convierten el nitrógeno orgánico en nitratos, que son aprovechados por la flora acuática.
También existe la filtración química-biológica que consiste en el uso de los filtros UV (ultravioleta), que tienen acción sobre agentes patógenos del estanque. Estos filtros sirven para eliminar algas verdes, organismos unicelulares, enfermedades del agua por el desarrollo de bacterias y parásitos en general.
Se puede utilizar asimismo otros compuestos accesorios como resinas —empleadas para reducir la dureza del agua—, o sustancias químicas para bajar o levantar el pH.
Tanto los filtros UV como los compuestos accesorios deben usarse en forma esporádica, pues también eliminan los nutrientes necesarios para las plantas.

Filtro de sistema mecánico.

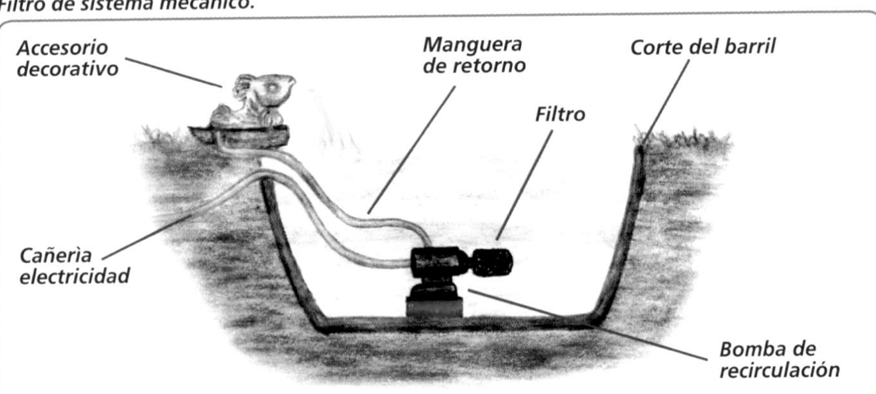

Un barril de madera colocado bajo tierra puede funcionar como un estanque pequeño para cultivar plantas acuáticas, por ejemplo, una o dos plantas de nenúfares. Una bomba de recirculación se apoya sobre el fondo —previa colocación de un ladrillo o un bloque de piedra—, para preservar el filtro. El filtro mecánico funciona para la retención de las pequeñas partículas que se encuentran suspendidas en el agua y requiere un cuidado continuo para que funcione correctamente. De la bomba salen dos mangueras: una conduce el cable eléctrico y va hacia la ficha de la electricidad; y la otra se dirige hacia la parte trasera del sapo, conduciendo el agua que la bomba chupa del barril contenedor y luego arroja por la boca del sapo, para caer el chorro en el barril; así continúa el ciclo.

Filtros de tipo biológico para estanques con vida acuática.

Cañerías

Las cañerías de entrada (alimentación) y salida (desagüe) son, por lo general, de PVC. Tienen diámetros de ¾ de pulgada, 1 pulgada y 2 pulgadas (1 pulgada es igual a 2,5 cm). Esto depende del caudal y tamaño del estanque.

Los codos o los caños T pueden ser de plástico o polietileno. Las cañerías de desagüe llevan el agua del desagote o del reciclado de un estanque, al pluvial del jardín.

En estanques de material, y para el caso de las Nymphaeas, el desagüe debe ser doble: uno superior que impida el desborde del agua, y otro inferior que permite el vaciado. El superior mantiene constante el nivel del agua y evita que las raíces queden al descubierto; el inferior permite la salida del agua y lleva un tapón con una malla para retener las basuras cuando se hace el desagote.

El fondo del estanque deberá ser construido lo suficientemente inclinado para ayudar a la salida del agua; lo mismo ocurre con el diámetro del caño de salida, que tendrá que tener el tamaño adecuado para la expulsión de las basuras en general.

El agua del desagüe puede aprovecharse para el riego de otras plantas del jardín. Algunos especialistas recomiendan quitar las hojas y residuos de la superficie con un colador o paleta de malla tejida o tamiz.

Cañería de alimentación. Huerta.

Cañería para salida de agua en un estanque. Jardín botánico. Facultad de Agronomía. UBA.

Cañerías de agua para el llenado del estanque. Water Life.

Cañerías de desagüe. Paseo público.

Cascadas

Son composiciones de naturaleza paisajista que se usan en jardines y parques informales y también como complementos de piscinas. La cascada permite la intervención de muchos elementos decorativos como piedras, plantas, el agua en movimiento, iluminación nocturna, vida acuática, etc. Siempre tratan de imitar una escena de la naturaleza, además de provocar la oxigenación del agua por el movimiento y la caída.
Se construyen con piedras naturales y se pueden utilizar en hoteles, salones de fiestas, exposiciones, espectáculos públicos y lugares de recuperación psicofísica.

Cascada con piedras, puente, plantas acuáticas oxigenadoras y de los bordes. Water Life.

Como una cascada es una sucesión de pequeños saltos o caídas de agua, desde una cierta altura, que se derrama en la parte inferior en una superficie de lago o estanque, la altura y el tamaño dependerán de la superficie del jardín o del parque.
La instalación de una cascada, por más pequeña que esta sea, requiere de una bomba para reciclar el agua. Es indispensable tener en cuenta qué tipo de bomba de reciclado se va a utilizar. La bomba se coloca en la base o piso del terreno y debe llevar las conexiones para la entrada y la salida del agua. Pueden usarse bombas de eje horizontal o de eje vertical. Las bombas sumergibles son las más adecuadas para construir una cascada.
La cascada podrá tener uno o varios escalones y el agua podrá deslizarse como un manto fluido entre las piedras más grandes, que le hacen un cauce, y los guijarros o los cantos rodados que tapizan los surcos.
Conviene que las piedras a seleccionar sean grandes, de aproximadamente unos 30 ó 40 cm de largo, por 25 cm de ancho. Todas deben ser del mismo origen y características, y se unirán con concreto. En los espacios entre las piedras, se ubican las plantas de distinto tamaño y de lugares húmedos.

Cascada con flujo laminar. Paseo público.

Construcción de una cascada

Paso a paso

A. Buscar el lugar apropiado, que en general se encuentra con el respaldo de una pared del jardín, y que tenga buenas visuales.

B. Se realiza la excavación del estanque o reservorio de agua o lago.

C. Se marcan las medidas de la cascada referidas al recorrido, a la altura y al ancho. Por ejemplo, un recorrido de 5 m, una altura de 1,6 m (el punto más alto desde donde se produce la caída del agua) y un ancho de desarrollo de 2 ó 3 m. Las medidas dependerán del diseño y del tamaño del jardín, entre otros factores.

D. Se realiza un terraplén en desnivel hacia el estanque, donde luego se colocará una estructura metálica para el anclaje de las piedras, dándoles una ubicación natural con cierto movimiento.

E. Se forman los escalones para que luego se marque el recorrido del agua.

F. Se dimensiona si va a tener una vertiente de agua o varias, según el diseño.

G. Se termina con la colocación de las piedras y se realiza el sellado de las uniones con un mortero de cemento más un material impermeabilizante, para dar curso al recorrido final del agua.

Se debe considerar que la tierra empleada para realizar los terraplenes desciende en altura alrededor de un 30%, bajando el volumen cuando se moja con la lluvia o bien artificialmente. Hay que tomar en cuenta ese descenso cuando se realizan las determinaciones de la cantidad o volumen de tierra para armar el terraplén. La tierra seleccionada debe ser arcillosa para que no se deshagan las formas.

Cascada de Water life.

Cascada de un paseo público.

CAPÍTULO 5

Mantenimiento del estanque

Capítulo 5 Mantenimiento del estanque

Al menos una vez al año se debe limpiar el estanque si está sucio; de lo contrario, se podrá hacerlo cada 2 ó 3 años, pues si los residuos son pocos y no tóxicos, alimentan a las plantas.

Exigencias básicas para el buen funcionamiento de un estanque

Horas de pleno sol	Temperatura ambiente	Profundidad del agua (variable para nenúfares)	Materiales	Control de algas
6 horas para una buena floración.	Templada.	25-50 cm para los tropicales; 30-60 cm para los de clima templado a frío.	No tóxicos y agua limpia.	Con plantas oxigenadoras y flotantes.

Reglas generales del mantenimiento

Exigencias básicas	Medidas	Realización de objetivos
1/3 del estanque debe quedar libre.	Los crecimientos excedentes deben extraerse periódicamente.	El estanque debe guardar una relación balanceada entre sus componentes: plantas flotantes, sumergidas y palustres.
Buena exposición solar.	Colocar los estanques con vista al Norte, NE y NO.	En estas exposiciones se recibe luz más calor, y eso es muy necesario para el crecimiento de las plantas y la vida de los peces.
Plantas muy invasoras, de desarrollo exuberante.	Colocarlas en canastas o contenedores de mallas de alambre.	Por ejemplo, las Eichornia crassipes o camalotes son de crecimiento rápido y gran desarrollo.
El agua debe permanecer limpia. La renovación total, si fuera necesaria, se hace cada 2 ó 3 años.	Para ello, se realizan dos tipos de desagües en el estanque: uno superior y el otro inferior.	Tratar de ayudar al mantenimiento del agua con la extracción de hojas secas y enfermas.
Disminuir la cantidad de sol directo con plantas flotantes.	Para evitar la competencia de las algas verdes.	Ubicar en el estanque flotadoras como lentejas de agua (Lemna gibba), repollitos de agua o salvinias.
Las aguas quietas son ideales para las plantas flotantes como los nenúfares.	Si hubiera peces, se necesita oxigenar el agua con picos aireadores y plantas oxigenadoras.	Incorporar Vallisnerias, Elodeas, Cabombas y Ceratophyllum.
Reducir el uso de fertilizantes al lugar exclusivo de las plantas y en forma protegida.	Incorporan nitratos que son tóxicos para los peces.	Usar fertilizantes de liberación lenta, colocados cerca de las raíces de los nenúfares envueltos en bolsitas de papel.
No colocar cortinas de árboles cerca del estanque.	Por las caídas de hojas y el filtrado del sol.	Emplear plantas de follaje persistente.
Control del pH.	Debe ser ligeramente alcalino a neutro.	Evitar las aguas duras (carbonatos), salinas (sodio) y con elementos tóxicos como el cobre y el aluminio.

Exigencias básicas	Medidas	Realización de objetivos
Control periódico de nitratos.	De los residuos de fertilizantes.	Son tóxicos para los peces y ayudan a la excesiva multiplicación de las algas.

Cuidados periódicos del estanque

Estos cuidados incluyen tanto los referidos a los componentes vivos (agua, vegetales y animales) como a los materiales, implementos y contenedores.

Elementos del estanque	Observaciones y situación	Causas	Soluciones
Bombas	Mal funcionamiento.	Bomba sucia, mantenimiento imperfecto.	Limpieza de la bomba para obtener la máxima eficiencia.
Agua	Verde, azul, con espuma y malos olores.	Estanques en lugares muy soleados y con demasiados nutrientes y materia orgánica productora de espuma.	Retirar en forma periódica la aparición de algas verdes y colocar plantas acuáticas flotantes que den sombra al agua. Limpiar el acceso al filtro y la bomba.
Agua	Oscura, con mal olor.	Desequilibrio ecológico, de sales minerales, residuos, peces e insectos, tierra y detritus.	Limpiar el estanque y las plantas, remover el agua y el lecho fangoso; renovar plantas y peces.
Peces	Enfermos, que sufren carencia de oxígeno.	Fallas en bombas y aireadores; plantas oxigenadoras escasas y/o secas; daños en la estructura del estanque; fugas de agua.	Inspeccionar las plantas, bombas, aireadores y el estado sanitario de los peces. Remover plantas en mal estado; sacar espumas; renovar el agua y reparar las fugas en la estructura del estanque.
Escasez de plantas	Desarrollo de algas.	Desequilibrio ecológico.	Incorporar las plantas adecuadas y variadas.
Exceso de malezas	Plantas acuáticas en mal estado.	Desequilibrio ecológico.	Remover el exceso de malezas con horquillas.
Estructuras de plástico, PVC, etc.	Pérdida de agua por fisuras.	Desequilibrio en la disponibilidad de agua.	Vaciar el estanque y repararlo.

Limpieza

El estanque, en general, no necesita en forma obligatoria el recambio del agua todos los años, pero cuando se incorpora vida acuática y se producen muchos residuos derivados del alimento y de las deyecciones de los peces, es conveniente entonces considerar la renovación, algunas veces parcial, agregando la cantidad de agua necesaria. La época del año adecuada para una limpieza es en otoño-primavera.

Paso a paso

1. Vaciar el estanque, retirar las plantas y los peces.
2. Limpiar el fondo y extraer el lodo.
3. Usar un cepillo para el fondo y las paredes.
4. Volver a llenar el estanque.

Tratamientos

Pueden ser preventivos o curativos, dependiendo del problema que se va a tratar.

Preventivos

Extraer las hojas caídas en el estanque antes de que se hundan en el agua para evitar putrefacciones. Para evitar la proliferación de algas verdes, incorporar plantas que hagan sombra sobre el agua

Curativos

1. Uso del azul de metileno en peces enfermos con presencia de hongos en las aletas, que provienen de plantas enfermas. Se colocan los peces por unos segundos en el recipiente con agua más este producto; luego ya tratados, se vuelven al estanque.

2. Uso de filtro biológico, de pasaje continuo, que contiene filtros de carbón activado.

3. Uso de lámparas UV (ultravioletas) o esterilizadoras, para combatir los gérmenes existentes en el agua, favoreciendo el crecimiento de las plantas y la sanidad de los peces. Estas lámparas hacen posible la vida de peces y plantas, reestableciendo el equilibro ecológico, sirviendo para refugio de la fauna silvestre y como hábitat adecuado para las plantas acuáticas.

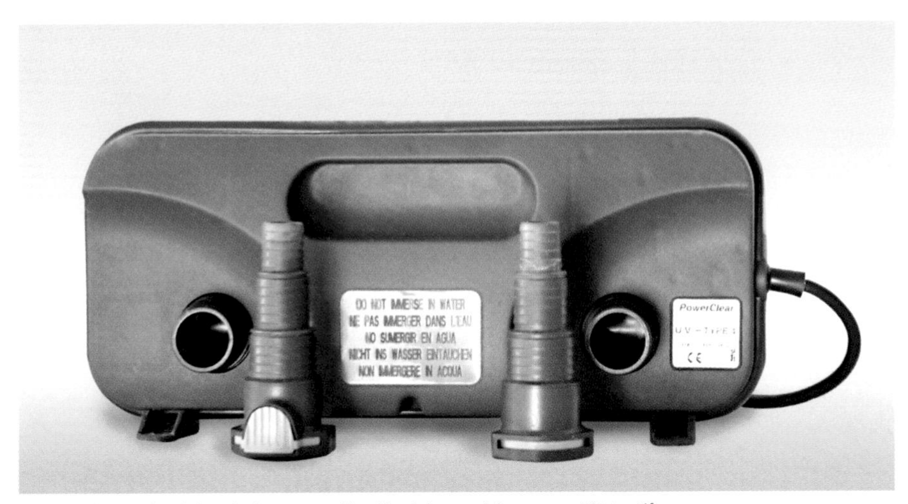

Lámpara de luz ultravioleta (UV) para esterilización del agua del estanque. Water Life.

El agua

Con el tiempo, se genera una gran cantidad de residuos propios y del exterior, y el estanque muestra signos de mal olor y color por el estado de putrefacción que se forma en el agua. Por eso, el mantenimiento es una tarea muy importante para procurar la buena calidad del agua y el equilibrio entre las especies.

El agua en la calidad de vida de un estanque con peces es el elemento clave y se caracteriza por tres factores fundamentales:

1. La temperatura: rango óptimo de 17 a 26 °C.

2. La ubicación correcta en relación con el aprovechamiento de las horas de sol para evitar heladas excesivas en invierno y sobrecalentamiento del agua en verano.

3. El pH: es la medida de la concentración de iones hidrógenos en el agua. El valor ideal es neutro (pH 7), y el rango óptimo es de pH 6 a 8. Es difícil bajar el pH del agua mediante la incorporación de productos químicos, pues esto afecta la vida de los peces y de las plantas.

Estanque de agua con chorros laterales, cascada y un borde de piedras laterales en una casa particular. Water Life.

¿Cómo medir el pH del agua?

Para medir el pH se puede realizar un test rápido por colorimetría, empleando reactivos, como el universal de Merck, que se utiliza en líquido o en cintas. En el método líquido se emplean unas gotas del reactivo en un tubo de ensayo, con una porción del agua del estanque, se deja unos dos minutos, se observa el color obtenido y se compara con la carta de colores del reactivo. La cinta es muy práctica, pues se extrae un trozo, se sumerge en un tubo de ensayo con el agua del estanque, y se procede de la misma forma que con el método anterior.

Determinación del pH del agua del estanque

1. *Colocarunamuestradeaguadelestanqueenuntubopequeñopara reactivos.*
2. *Colocar unas gotas o un trozo de cinta del reactivo Merck.*
3. *Observarlosresultadosycompararelcolorobtenidoconlosdelacarta de colores.*

Gotas del reactivo universal de Merck.

Cambio de color por reacción química.

Cinta del reactivo universal de Merck.

Cambio de color por reacción química.

Análisis del agua

Los valores de cantidad de sales disueltas en el agua se miden mediante la resistencia que ofrece un centímetro cúbico de este elemento al pasaje de una corriente eléctrica, y este valor es el de la conductividad eléctrica (CE).

El control de la cantidad de sales en el agua es fundamental, pues su desequilibrio afecta a peces y plantas. Para bajar los valores de CE se puede añadir agua de lluvia o de pozo al estanque. También el agregado de calcio es una forma sana de tratamiento que no afecta a los peces. El agua de red sin cloro es útil, pero se debe dejar reposar un día para que el contenido de cloro se evapore.

Otro análisis que se realiza consiste en medir la dureza del agua, basada en la cantidad de carbonatos disueltos en el agua. Existen varios métodos para esto. El sistema inglés, el francés y el americano miden en cantidades de carbonato de calcio disueltos en el agua; pero el sistema alemán tiene en cuenta la cantidad de óxido de calcio que se encuentra en el agua.

La dureza del agua puede calcularse con dos unidades de medida: grados dH (degree hardness) y según la cantidad de carbonatos por partes por millón (ppm). Una unidad de dH equivale a 17.8 ppm de carbonato de calcio (CO_3 Ca). Un ppm equivale a 1 mgr/litro de carbonato de calcio disuelto en el agua.

Estanque sobre elevado con bordes de ladrillos. Vivero Panambí.

Dureza	En dH	En ppm
Muy blanda	0-4 dH	0-70 ppm
Blanda	4-8 dH	70-140 ppm
Poco dura	8-12 dH	140-210 ppm
Bastante dura	12-18 dH	210-320 ppm
Dura	18-30 dH	329-530 ppm

El rango óptimo se encuentra entre 5-15 dH o 70-240 ppm, cantidades que corresponden a una dureza del tipo blanda a bastante dura.

Ciclo del nitrógeno

El nitrógeno es un elemento que se encuentra bajo distintas formas químicas, como amoníaco, amonio, nitrito y nitrato. Estas formas pueden encontrarse disueltas en el agua del estanque y producir conversiones entre sí. El amonio y el amoníaco lo hacen espontáneamente, y para el paso de los nitritos a nitratos, y viceversa, es necesaria la intervención de los microorganismos.
Como el estanque es un ecosistema relativamente pequeño, cualquier irrupción de factores externos producirá cambios, por ejemplo la incorporación excesiva y brusca de restos orgánicos, peces muertos no extraídos del agua, etc. Esto provoca un aumento del amoníaco/amonio con pasaje a nitritos y luego a nitratos, lo cual trae la toxicidad y el envenenamiento de los peces.
Por eso, la oxigenación y la recirculación mecánica del agua son fundamentales en estanques y lagos artificiales.
Los máximos niveles admisibles de estos elementos en un estanque dependen del tipo de peces, pero en general se consideran los siguientes:

- Amoníaco (NH_3): < 0,5 mg/litro
- Amonio (NH_4): < 0,5 mg/litro
- Nitritos (NO_2): < 0,5 mg/litro
- Nitratos (NO_3): < 100 mg/litro

Toxicidad de los elementos

- El amonio es de una baja toxicidad, semejante a la del nitrato.
- El amoníaco produce lesiones en las branquias y en el intestino de los peces, causando hemorragias y actuando sobre el sistema nervioso.
- Los nitritos se unen a los pigmentos respiratorios y el pez muere por asfixia.
- Niveles de nitritos inferiores a los que causan la muerte inmediata de los peces, producen la muerte al cabo de unos días, pero con síntomas difusos y difíciles de interpretar.
- El pH influye en la proporción relativa de amoníaco/amonio existente en el estanque.

Con un pH ácido o neutro, no hay amoníaco. Con pH básico o alcalino, todo el amonio se transforma espontáneamente en amoníaco y los peces comienzan a boquear.

Mineralización de la materia orgánica

La materia orgánica está compuesta por sustancias nitrogenadas como las proteínas, azúcares, etc., y su descomposición en compuestos simples es realizada por bacterias especializadas como las nitrosomonas, que pasan los compuestos amoniacales a nitritos, y las nitrobacterias que actúan en el pasaje de los nitritos a nitratos.
Los nitratos son absorbidos por las raíces de las plantas del estanque y su abundancia genera el crecimiento también de las algas verdes.
Cuando en el agua hay poco oxígeno, se produce un proceso inverso que es la desnitrificación, pasando el nitrato a nitrógeno, el cual se dirige a la atmósfera.

CAPÍTULO 6

Fauna acuática y entorno

Capítulo 6 Fauna acuática y entorno

En los diseños paisajistas, comúnmente, se puede incorporar determinado tipo de fauna a los estanques, lagunas artificiales o arroyos, en conjunto con las plantas acuáticas seleccionadas.

Fauna acuática

La fauna acuática más utilizada en estanques está compuesta por los peces de agua fría, porque pueden soportar temperaturas bajas en invierno. Pero para lograr esto, es indispensable que los estanques tengan una profundidad de unos 80 cm de agua, pues así los peces tienen la posibilidad de protegerse en el fondo de las heladas que cubren la superficie del agua con una capa de escarcha. Asimismo, la profundidad del estanque es necesaria en verano para que los peces se protejan de las altas temperaturas.

En un estanque con vida biológica, se deberán seleccionar correctamente las plantas, teniendo en cuenta sus características, su crecimiento y la cantidad. Por ejemplo, se deberá evitar las acuáticas muy invasoras y de rápida multiplicación como la lenteja de agua (Lemna gibba), pues en poco tiempo cubrirá la superficie quitando luz al resto de las plantas, atascando los filtros y provocando como resultado una maleza peligrosa para los peces.

Ciertas plantas de hojas grandes y de lámina horizontal como los nenúfares (Nymphaea sp.) son útiles para proteger a los peces del sol en verano durante los días de temperaturas más altas. También sirven como lugares de ocultación para las distintas especies en la lucha por alimentarse y sobrevivir, como puede ser en el caso del ataque de los pájaros.

La fauna acuática del estanque comprende asimismo ranas y sapos, y una gran diversidad de insectos como arañas de agua, libélulas, alguaciles, caracoles redondos y pequeños, y caracoles comunes.

Peces carpa o Koi de variedad atigrada.

Caracol manzana.

Caracol de agua sobre hojas de Elodea.

Araña de agua.

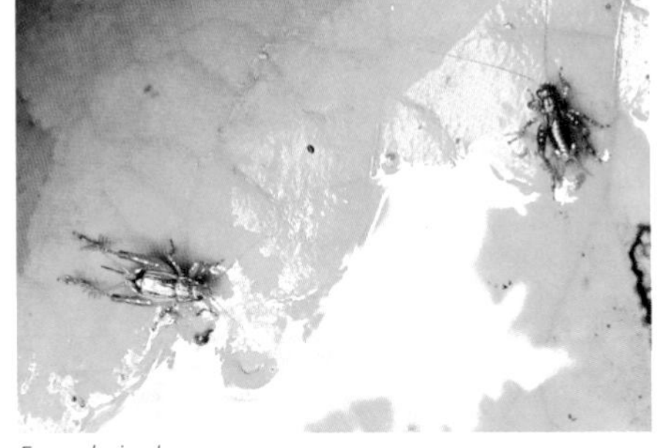

Escarabajo de agua.

Sapo (Bufo arenarum).

Huevos de sapo adheridos a una planta.

Alguaciles de colores muy vivos.

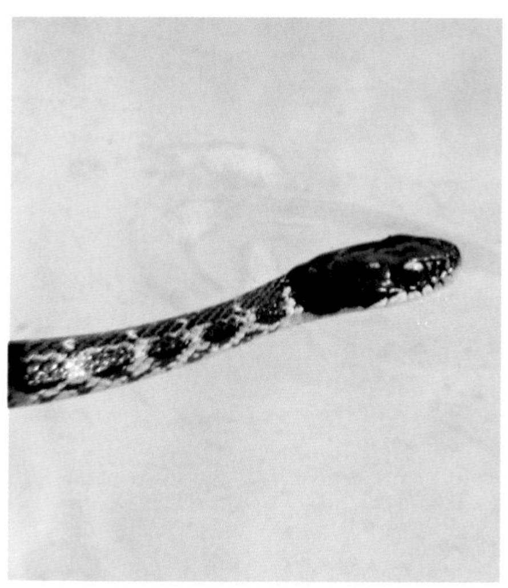

Serpiente de agua.

Sapo en el estanque.

Cría de peces para estanques

1. Peces de agua fría

Nombre científico	Carassius auratus.
Nombre común	Gold fish o pez dorado.
Origen	China, aunque en el Japón se realizaron trabajos de selección genética, obteniéndose una gran variedad de formas, tamaños y colores.
Colores	Variados, desde el amarillo rojizo al amarillo cremoso (los más comunes); café, negro, blanco, azul, rojo, bicolores, o con fondo blanco con manchas de color. Hay una amplia gama de azules, negros y veteados entre las variedades Shubunkin; y blanco y rojos en la variedad Cometa.
Período de vida	Entre 4 y 8 años, en algunos casos se encontraron peces de 17 años.
Ubicación en el estanque	Se sitúan por momentos alrededor de las caídas en una cascada, porque es el lugar de mayor oxigenación.
Alimentación	Son peces de alimentación omnívora, es decir que comen alimentos balanceados o papillas, pero también pueden comer plantas como una hoja de lechuga o acelga. Se alimentan de plantas acuáticas como la Vallisneria spiralis o la Elodea y de vez en cuando se les puede dar una papilla de carne picada o atún. También ingieren insectos, alguaciles, arañas de agua, larvas de mosquitos y algas.
Selección genética	De los trabajos de selección y cruzamiento realizados sobre el pez Carassius surgió el pez Koi o carpa, cuyo nombre científico es Carassius carassius, realizándose a su vez sobre este pez un gran trabajo de selección de formas, colores, tamaños y adaptación a las condiciones del medio.

2. Peces de agua templada

Nombre científico	Carassius carassius (Cyprinus carpio).
Nombre común	Koi o carpa.
Origen	Surge de un trabajo de selección y cruzamiento en el Japón a partir del Carassius auratus de la China.
Colores	Amarillo, negro, blanco y rojo.
Tamaño	50 a 60 cm, y más.
Período de vida	Son muy longevos.
Necesidades	Agua de pH neutro a ligeramente alcalino: pH 7 a 7,5. Como son peces que se desarrollan mucho, requieren espacio para vivir sin enfermarse por estrés; se calcula unos 35 litros de agua (mínimo) por pez de una longitud de 15 a 30 cm. El pez adulto requiere mucha más cantidad de agua, quizá unos 500 a 1000 litros. Es muy importante la oxigenación en el estanque, de lo contrario quedan como nadando en la superficie, buscando aire. La oxigenación se logra mediante el movimiento del agua o el burbujeo, que puede hacerse mediante un pico de agua, una cascada o bien con la colocación de un aireador. Este pez puede convivir con otros habitantes del estanque, como los caracoles de agua, caracoles chatos (llamados manzana), camarones y otros peces.
Alimentación	E n estanques grandes los peces se alimentan de las plantas (elodea y otras), de las larvas de libélulas, escarabajos, moscas, etc. En estanques pequeños, donde es más difícil la creación de un hábitat acuático, habrá que alimentarlos con compuestos comerciales adecuados, en pequeñas cantidades, para evitar enfermedades y exceso de residuos. Durante el invierno, cuando hace frío, no conviene alimentarlos, pues no tienen la necesidad de consumir. En primavera, con el comienzo de las temperaturas templadas, se les provee alimentos que incluyen vitaminas, minerales, hidratos de carbono, grasas y proteínas.

Peces por estanque

Tamaño de los peces	Cantidad de agua por animal
30-50 cm de largo.	500 litros (0,5 m^3 de agua).
10 cm de largo.	50 litros, como mínimo.

Peces Carassius auratus.

Hay que evitar la densidad de peces en el estanque, descartar las especies depredadoras y no colocar los peces grandes con los de talla muy pequeña.

Peces Carassius carassius (Cyprinus carpio).

Koi o Carpa nadando en un estanque con cabombas y nymphaes.

Normas generales para el manejo de la vida acuática

En aguas poco profundas, los peces no se crían bien, porque la temperatura en verano se eleva y calienta demasiado los materiales y el oxígeno escasea. El estanque debe tener de 60 a 80 cm de profundidad o más. Una recomendación importante es comprar peces sanos, en lugares de reconocida eficiencia. Un pez sano se agita y se mueve constantemente. Si la temperatura en invierno es menor que 15 °C, los peces Carassius aguantan poco; sólo los Koi resisten el frío y viven más tiempo. Cuando llega el invierno, los Koi se van al fondo del estanque y se debe estar atento para cortar la capa de escarcha superficial a fin de que puedan respirar correctamente. Cuando la temperatura es aún más baja —menor de 10 °C—, no es aconsejable darles alimento.

Problemas de los estanques y lagunas artificiales con fauna acuática

Los problemas más importantes de los estanques son la calidad química y biológica del agua, basada en la reacción del agua o pH, la cantidad de carbonatos de calcio, la sanidad de los peces, la compatibilidad de fauna y plantas, el mantenimiento de los filtros, el estado de las bombas de recirculación y la limpieza en general.

Situación	**Peces muertos**	
Causas posibles	Tratamientos	Control del agua
• Insecticidas. • Agua en mal estado (alto porcentaje de bacterias en verano). • Uso de fosfatos y nitratos. • Uso de piedras calcáreas que segregan carbonatos de calcio.	Vaciar el estanque y limpiar paredes y fondo.	Cada 30-60 días realizar un control biológico y químico.

Situación	**Agua oscura y con olor. Agua contaminada.**	
Causas posibles	Tratamientos	Control del agua
• Remoción del fondo con sedimentos acumulados oscuros. • Agua con muy poco oxígeno. • Peces muertos.	Limpieza del estanque; usar filtros para mantener el agua limpia de residuos.	Buen control biológico cada 30-60 días.

Situación	**Peces y plantas muertos.**	
Causas posibles	Tratamientos	Control del agua
• Agua muy dura. • Sales disueltas como bicarbonatos, cloruros y carbonatos, sulfatos de sodio y calcio. • Salinidad del agua por presencia de cloruro de sodio. • Plantas enfermas con hongos que repercuten en los peces.	Con el uso de un hidrómetro se medirá la salinidad del agua del estanque.	• Control químico del agua. • Es muy difícil reducir la salinidad. • Usar agua dulce para la mayoría de los peces.

La turbidez se cuantifica con una sencilla prueba práctica: se sumerge el brazo hasta el codo en el agua del estanque y si se encuentra limpia se tiene que visualizar la mano con claridad. Algunos especialistas recomiendan ir reponiendo el agua poco a poco en pequeñas cantidades y tratar de extraer en forma periódica las hojas y los residuos que van quedando sobre la superficie con un colador o una paleta de malla tejida. Otros opinan que es mejor no renovar el agua periódicamente, porque se extraen elementos nutritivos para las plantas, salvo que esté muy sucia. En los estanques con peces, es necesario colocar un filtro para mantenerla limpia.

Aves silvestres

Cuando se diseñan lagunas artificiales en tierras de naturaleza arcillosa es fácil realizar la excavación y luego realizar el diseño con un polietileno grueso de 500 micrones de espesor, previa limpieza del suelo, quitando piedras, cascotes y malezas, y dejando lo más liso posible el fondo para después distribuir el material plástico sobre una capa de arena de unos 3 a 5 cm de espesor. La película de polietileno grueso se acomoda sobre los bordes del estanque y se sella con tierra bien apisonada. Se termina el trabajo con piedras y cantos rodados. Sobre este borde, se pueden plantar cubresuelos bajos como tradescantias, ruellias, bacopas, acmellas, acorus enanos, etc.
De este modo, se crea un centro de atracción y concentración de aves silvestres de muy diversas características, propias de la zona en la que se instaló la laguna.

Zorzal colorado.

Calandria en un frutal.

Paloma casera.

Tero.

Plantación del entorno

En algunas composiciones paisajistas, como los diseños de influencia oriental japonesa, se suelen utilizar gramíneas y bambúseas para darle al jardín de acuáticas un marco asilvestrado, naturalista y de expresión no recargada. En estos diseños se utiliza una serie de gramíneas ornamentales que forman matas de cierta extensión como eulalia (Miscanthus sinensis), de follaje verde claro y brillante; Cortaderia selloana, de mayor rusticidad; Pennisetum o colas de zorro, con panojas llamativas de color rojo; entre otras.

Asimismo, la plantación del entorno puede estar constituida por plantas herbáceas y leñosas que crecen o se adaptan a terrenos húmedos, orillas de ríos, lagunas, etc. Estas permiten crear composiciones no tan asilvestradas, es decir, más formales, con ejemplares que se adaptan a las condiciones de suelos húmedos.

No importa cuál sea la selección de plantas, siempre habrá que acomodar el jardín al estilo de la casa, la superficie, y a los usos y las necesidades del propietario.

Cortaderia selloana. *Vivero Panambí.*

Cortaderia selloana *var.* Nana. *Vivero Panambí.*

Eulalia (Miscanthus sinensis *var.* aurea). *Vivero Panambí.*

Miscanthus sinensis *var.* zebrinus. *Vivero Panambí.*

Gramíneas ornamentales y bambúseas. Diseño naturalista

Nombre botánico	Nombre común	Características
Cortaderia selloana	Cortadera, pampa, grass	Planta perenne matosa, con cañas floríferas de hasta 2 ó 3 m de altura. Hojas cortantes; panoja oblonga plateada; las flores femeninas son más amplias y las masculinas más angostas y ralas. Florece en verano y se multiplica por división de matas. Es un ejemplar sudamericano, de la Argentina.
Miscanthus sinensis	Eulalia	Planta perenne muy desarrollada en matas. Hojas lineares, duras, de 0,70 a 1 m de altura. Inflorescencia en panoja. Se encuentra en la China y en el Japón.
Miscanthus sinensis var. zebrinus	Eulalia	Hojas con franjas horizontales o transversales amarillentas. Se multiplica por división de matas. Es originaria de la China y el Japón.
Miscanthus sinensis var. aurea	Eulalia	Hojas con franjas amarillas longitudinales. Se multiplican por división de matas, a fines del invierno. Su origen está en la China y en el Japón.
Pennisetum purpureum	Cola de zorro	Planta erguida, con cañas macizas y espiga morada. Se multiplica por trozos de tallos. Es originaria de regiones cálidas y de África.
Pennisetum villosum	Cola de zorro	Planta rizomatosa de 70 cm de altura. Hojas lineales; espigas blanco-grisáceas y plumosas. Es una planta muy vistosa que florece en verano. Se origina en el África.

Alpiste disciplinado (Phalaris arundinacea *var.* picta). *Vivero Panambí*

Cola de zorro (Pennisetum exaltatum). *Vivero Panambí.*

Glosario

Acuario: depósito de agua dulce o marina, en la que se cultivan plantas o animales domésticos.

Agua burbujeante: espumas que semejan cuerpos sólidos como los de la nieve.

Armonía: condición de la naturaleza con sus ciclos, sus materiales y sus plantas empleadas, y su forma de asociarlos. En el diseño de un jardín de acuáticas, los colores primarios y sus adyacentes conforman una disposición armónica. Los toques contrastantes brindan personalidad y fuerza para no generar monotonía.

Bomba de recirculación: se utiliza para reciclar el agua del estanque.

Canto rodado: piedra lisa y redondeada por el desgaste de la corriente de los ríos.

Concreto: mezcla producida con cemento, arena y cal.

Contraste: efecto de anteponer cualidades distintas ya sea trabajando con la forma de las plantas y sus texturas (muy finas o gruesas, como las cabombas, las calas o los iris); o con los colores (muy contrastantes, como los rojos y azules; o suaves, como los rojos y verde amarillentos). También se aplican estos conceptos a los materiales.

Deck: plataforma de madera dura que determina un lugar seco cerca del jardín acuático.

Diseño: estudio, traza y delineación de un edificio, jardín o un objeto cualquiera.

Dístico: en dos filas, como en las hojas abanicadas de cabomba.

Esquema o boceto: primeros borradores donde se vuelcan las ideas antes de llegar a la etapa del proyecto.

Estanque: excavación en la tierra, que se llena de agua. Hay de varios tipos: con lámina de plástico, de mampostería o de otros materiales (recipientes de cerámica o barriles tipo viníferos), etc.

Fertilizante de liberación lenta: gránulos cubiertos con productos sintéticos, que al estar protegidos de la acción del agua del suelo, liberan nutrientes de a poco.

Filiforme: forma de hilo.

Filtro: malla en las cañerías de entrada y salida del estanque que retiene los residuos. Hay varios tipos: desde el constituido por una malla que retiene los residuos hasta el que usa distintos materiales para retenerlos, como las cajas drenantes de materiales varios con espumas de nailon o gravas, etc.

Flora: conjunto de plantas de un país cualquiera y, por extensión, de una porción del mar, de un lago etc.

Fronde: hoja de los helechos y de algunas acuáticas.

Geotextil: tela especial, sintética, utilizada para trabajos de cobertura de suelos.

Goma butílica: material derivado de hidrocarburos, elástico, resistente, durable y costoso.

Granito: roca de cuarzo, feldespato y mica, muy dura, inatacable por ácidos y agua.

Grava: piedra chica y lisa que se encuentra en la orilla y cauce de los ríos.

Greda: material del subsuelo, pesado, pegajoso, de colores claros, compacto.

Hábitat: medio en el que vive una planta.

Híbrido: resultado del cruce de dos individuos de distinta especie.

Lámina: parte dilatada de de las hojas (limbo).

Limo: material que se encuentra en la base o el piso de las lagunas. Es parecido a la arcilla, pero de partículas medianamente finas.

Lobulada: hoja dividida en lóbulos o porciones más o menos profundas.

Oxigenador: pico burbujeante para oxigenar los estanques.

Oxigenadora: planta que vive sumergida; al realizar la fotosíntesis dentro del agua produce oxígeno. Muy importante en los acuarios.

Pajonal: en América del sur, terreno invadido por pajas (gramíneas).

Palustre: planta que vive en un ambiente de tierra y agua.

Parénquima: tejido de los órganos vegetales, formado por células redondeadas, no lignificadas, de paredes finas. Según la función, puede ser parénquima asimilador, como el de la hoja, por la presencia de clorofila; parénquima de reserva, como el de algunos tallos y raíces; paréquima aerífero —o aerénquima— de las plantas acuáticas.

Peciolado: hoja sostenida al tallo por el pecíolo o porción que une la lamina al tallo.

Peltado: hoja de lámina redondeada con el pecíolo inserto en el medio, por ejemplo, las hojas de loto.

Polipropileno: derivado de hidrocarburos, usado en la fabricación de cañerías.

Proyecto: plan, estudio y análisis de los pasos para llegar a un objetivo.

Relevamiento: acción de valerse de ejes determinados para fijar la posición de elementos.

Replanteo: acción de pasar del papel al terreno los elementos de un plano mediante coordenadas o ejes marcados en el terreno.

Rizoma: tallo bajo tierra que actúa como raíz, por ejemplo, Iris pseudocorus.

Sagitada: hoja con forma de saeta, como en Sagitaria montevidensis.

Surtidor: extremidad o pico de una fuente, individual o en conjunto, que expele el agua de distinta forma, como el chorro simple, el burbujeo, "agua nieve".

Verticilada: hojas que salen de un mismo nivel o punto del tallo; repiten esta situación en ciclos.

Bibliografía

Adams, Howard Williams: *Roberto Burle Marx. The Unnatural Art of the Garden.* Nueva York: The Museum of Modern Art, 1991.

Álvarez, Martha; Paríani, Susana: *El agua como elemento ornamental.* Buenos Aires: Ediciones Centro de Impresiones de la Facultad de Agronomía de la UBA, 1991.

Bailey, L. H.: *Manual of Cultivated Plant.* Nueva York: Ediciones The Macmillan Company, 1965.

Balston, Michael: *El jardín bien diseñado.* Barcelona: Hermann Blume, 1989.

Barbour, Michael y otros. *Botánica.* México: Limusa, Grupo Noriega Editores, 1994.

Berjman, Sonia: *Benito Carrasco: sus textos.* Buenos Aires: Edición Cátedra de Planificación de Espacios Verdes, Facultad de Agronomía de la UBA, 1977.

Berral, Julia: *The Garden. An illustrated history.* Nueva York: Penguin Books, 1978.

Bornas y Urcullu, Gabriel: *Jardinería.* Madrid: Salvat, 1956.

Brickeell, Christopher: *The enciclopedia of Garden Plants.* The Royal Horticultural Society (Volume I y II). Londres: Dorling Kindersley Limited, 2003.

Brookes, John: *The Book of Garden Design.* Nueva York: Macmillan Publishing Company, 1992.

Brookes, John: *El gran libro del jardín.* Barcelona: Folio, 1991.

Brookes, John: *La jardinería y el paisaje.* Buenos Aires: La Isla, 1998.

Brookes, John: *Garden Masterclass.* Londres: Ed. Dorling Kindersley Limited, 2002.

Cabrera, Ángel: *Las plantas acuáticas.* Buenos Aires: Eudeba, 1972.

Cabrera, Ángel y Zardini, E.: *Manual de la Flora de los alrededores de Buenos Aires.* Buenos Aires: Acme Agency, 1978.

Colborn, Nigel: *Grandes trucos para pequeños jardines.* México: Gustavo Gili, 1994.

Daidone, José y Wolgensinger, Bernard: *Votre Jardín. Architecture et Arte floral.* París: Bibliotheque des Arts, 1975.

Diario Clarín: "Carlos Thays. Diseñador del botánico. El creador de la sombra de Buenos Aires". Buenos Aires: 3 de septiembre de 1998, p. 43 de la sección Información General.

Enciclopedia Argentina de Agricultura y Jardinería (Tomo II): *Fundamentos del Arte Paisajista.* Elementos de la Construcción. Buenos Aires: Acme, 1984.

Font Quer, Pío: *Diccionario de Botánica.* Barcelona: Labor SA, 1975.

Font Quer, Pío: *Botánica pintoresca.* Barcelona: Península, 2003.

Gobierno de la Ciudad Autónoma de Buenos Aires: *Parques y Paseos.* Publicación de la Dirección de Paseos (ex Secretaría de Servicios Públicos). Buenos Aires: 1970.

Greenoak, Francesca: *Decoración con agua en pequeños jardines*. Madrid: Libsa, 1996.

Guyot, Lucien y Gibassier, Pierre: *Historia de las flores*. Buenos Aires: Eudeba, 1965.

Hibi, Sadao: *A celebration of Japanese Gardens*. Tokyo: Graphic-sha Publishing Company Ltd., 1994.

Kunihei, Wada: *Katsura. Imperial Villa*. Kyoto: Hoikusha-Muko-machi, 1962.

Kurita, Isamu: *Japanese Identity*. Tokyo: Fujitsu Institute of Management, 1977.

Lane Magazine & Book Company: *Garden Pools Fountains & Waterfalls*. California: Menlo Park, 1969.

Montero, Marta: "Roberto Burle Marx: el hombre que buscaba recuperar el paraíso" en Revista *Paisajes* (n.° 4). Buenos Aires, septiembre 1994.

Pape, Heinrich: *Plagas de las flores y de las plantas ornamentales*. Barcelona: Oikos-Tau SA, 1977.

Parodi, Lorenzo: "Botánica sistemática" en *Enciclopedia Argentina de Agricultura y Jardinería* (Volumen I y II). Buenos Aires: Acme Agency, 1974.

Revista *Jardín*: "Oasis Oriental. Jardín Japonés de Palermo. Ingeniero Agrónomo Yasuo Innomata". Buenos Aires: Ediciones El jardín en la Argentina, junio 2005, pp. 50 a 55.

Salvat: *Enciclopedia de la Jardinería* (Tomos IV, VII, VIII, XI y XII). Barcelona: Salvat Editores, 1978.

Salvat: *Gran Diccionario* (Tomos I, II y III) Barcelona: Salvat Editores, 1992.

Schreiner, Annette: *Les plantes de bassin*. París: Rustica / FLER, 2005.

Schroer, Carl Friedrich y Torsten, Olaf Enge: *Arquitectura de jardines en Europa*. Colonia, Alemania: Benedikt Taschen Verlag, 1992.

Stevens, David: *Diseñar el Jardín*. Buenos Aires: La Isla, 1996.

Sunset Ideas Lanebook: *Japanese Gardens*. California: Menlo Park, 1972.

Swindells, Philip: *Water Gardening*. Barcelona: Blume, 1994.

Valentien, Otto: *Jardines. Ejemplos y normas para su trazado*. Barcelona: Gustavo Gili, 1968.

Wieser Karl-Heinz: *Nueva guía práctica para estanques de jardín*. Alemania: Tetra Verlag-Melle, 1994.

Índice

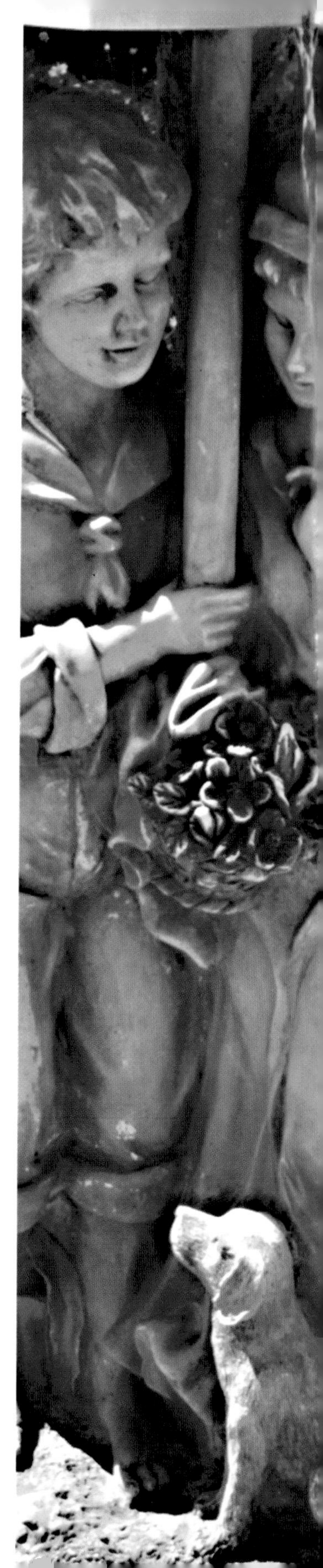